The **AA** PHRASEBOOK
PORTUGUESE

English edition prepared by First Edition Translations Ltd,
Great Britain
Designed and produced by AA Publishing
First published in 1995 as Wat & Hoe Portugees,
© Uitgeverij Kosmos bv – Utrecht/Antwerpen
Van Dale Lexicografie bv – Utrecht/Antwerpen
This edition © Automobile Association Developments Limited 2008
Reprinted July 2008, October 2008

ISBN: 978-0-7495-5668-6

Published by AA Publishing (a trading name of Automobile
Association Developments Limited) whose registered office is
Fanum House, Basingstoke, Hampshire RG21 4EA.
Registered number 1878835

Printed and bound in Italy by Printer Trento S.r.l.

Find out more about AA Publishing and the wide range of
services the AA provides by visiting our web site at
www.aatravelshop.com

A03984

Contents

Introduction

● **Welcome to the AA's Pocket Guide Phrase Books series**, covering the most popular European languages and containing everything you'd expect from a comprehensive language series. They're concise, accessible and easy to understand, and you'll find them indispensable on your trip abroad.

Each guide is divided into 14 themed sections and starts with a pronunciation table which gives you the phonetic spelling to all the words and phrases you'll need to know for your trip.

Throughout the book you'll come across coloured boxes with a ☞ beside them. These are designed to help you if you can't understand what your listener is saying to you. Hand the book over to them and encourage them to point to the appropriate answer to the question you are asking.

Other coloured boxes in the book – this time without the symbol – give alphabetical listings of themed words with their English translations beside them.

This phrase book covers all subjects you are likely to come across during the course of your visit, from reserving a room for the night to ordering food and drink at a restaurant and what to do if your car breaks down or you lose your traveller's cheques and money. With over 2,000 commonly used words and essential phrases at your fingertips you can rest assured that you will be able to get by in all situations.

Pronunciation table

English speakers can imitate the actual sound of the words by saying the version in italics. Correctly placed stress is essential:
Words ending in a vowel or in **m** or **s** are usually stressed on the penultimate syllable, for example:

o rato   (oo rah-too)   the mouse

Words that end in a consonant other than **m** or **s** are stressed on the last syllable e.g. **cruel** (croo-ell) - cruel, and exceptions to the rule are words marked with an accent, for example, **falência** (bankruptcy).
Emphasised nasal pronunciation is indicated by the til accent (~), for example, **nações** (nations).

Vowels

ã	pronounced approximately as in **sung** (**irmã**)
ão	pronounced as **ow** in **howl** (**limão**)
final e	barely pronounced (**onde**)
ê	as in **they** (**relê**)
es	**sh** as in **Estoril** (shtooreel)
final o	as in **loop** (**macaco**)
ô	as in **local** (**vôo**)
u	as in **rule**, and silent in **gue**, **gui**, **que** and **qui**

Consonants

ç	as in **receive**, e.g. *laço*
ch	as in **shock**, e.g. *choque*
h	always silent, e.g. *hora*
lh	as **ll** in **million**, e.g. *milhão*
nh	as **ni** in **onion**, e.g. *linha*
qu	before **e** or **i** pronounced as in **kick**, e.g. *quilo*; before **a** or **o** pronounced as in **quote**, e.g. *qualidade*
r	always trilled
-s-	before **b**, **d**, **g**, **l**, **m**, **n**, **r** and **v**, as in **leisure** e.g. *rasgo*
-s-, -s	before **c**, **f**, **p**, **qu**, **t** and when it is the last letter, with a **sh** sound as in **sugar**, e.g. *respeito*
x	initial or before a consonant as pronounced as in **sugar**, e.g. *xícara*; in **ex** pronounced as in **squeeze**, e.g. *exemplo*
z	when in final position, as in **leisure**, e.g. *conduz*, otherwise like an ordinary z

1 **Useful lists**

1.1 Today or tomorrow?

What day is it today? __	**Que dia é hoje?** *kuh deeah eh oarje?*
Today's Monday _____	**Hoje é segunda-feira** *oarje eh segunda-fayrah*
– Tuesday _____	**Hoje é terça-feira** *oarje eh tearsah-fayrah*
– Wednesday _____	**Hoje é quarta-feira** *oarje eh cuartah-fayrah*
– Thursday_____	**Hoje é quinta-feira** *oarje eh keentah-fayrah*
– Friday _____	**Hoje é sexta-feira** *oarje eh seshtah-fayrah*
– Saturday _____	**Hoje é sábado** *oarje eh sarbadoo*
– Sunday _____	**Hoje é domingo** *oarje eh doomeengoo*
in January _____	**em Janeiro** *ey janayroo*
since February _____	**desde Fevereiro** *desduh fevverayroo*
in spring_____	**na primavera** *nuh preemaverrah*
in summer _____	**no verão** *noo verau*
in autumn_____	**no outono** *noo ohtohnoo*
in winter _____	**no inverno** *noo invairnoo*
1997 _____	**mil novecentos e noventa e sete** *meel novsentush ee nooventa ee set*
the twentieth century___	**o século XX (vinte)** *oo seckooloo veent*
What's the date today?_	**Que dia é hoje?** *kuh deeah eh oarje*

Today's the 24th _____	Hoje é dia vinte e quatro
	oarje eh deeah veent ee cuartroo
Monday, November ___ 2nd, 1998	segunda feira, dois de Novembro de 1998
	segunda fayrah, doysh duh novembroo duh meel novsentush ee novventa ee aytoo
in the morning_____	de manhã
	duh manyair
in the afternoon _____	de tarde
	duh tard
in the evening _____	à noite
	ah noyt
at night_____	de noite
	duh noyt
this morning _____	hoje de manhã
	oarje duh manyair
this afternoon _____	hoje à tarde
	oarje ah tard
this evening_____	hoje à noite
	oarje ah noyt
tonight _____	esta noite
	eshta noyt
last night _____	na noite passada
	nah noyt passada
this week _____	esta semana
	eshta semarnah
next month _____	no próximo mês
	noo prossimoo mayge
last year _____	no ano passado
	noo arnoo passardoo
next... _____	no próximo...
	noo prosseemoo...
in...days/weeks/ _____ months/years	daqui a...dias/semanas/meses/anos
	dakee ah...deeash/semarnash/ mayzesh/arnoosh

...weeks ago	hã...semanas
	ah...semarnash
day off	**feriado**
	ferriardoo

1.2 Bank holidays

● **The main public holidays** in Portugal are the following:

January 1	Ano Novo (New Year's Day)
February	Carnaval (Carnival)
March/April	Sexta-feira Santa (Good Friday)
April 25	Dia da Revolução (Day of the Revolution)
May 1	Dia do Trabalhador (Labour Day)
June 10	Dia de Portugal (Camões Day commemorating Portugal's equivalent to Shakespeare)
June 13	Santo António (Festival of St Anthony, patron saint of Lisbon)
June 24	São João (Festival of St John, celebrated in Oporto and the North)
August 15	Assunção da Nossa Senhora (Feast of the Assumption)
October 5	Dia da República (Republic Day)
November 1	Dia de Todos os Santos (All Saints Day)
December 1	Restauração da Independência (Restoration Day)
December 8	Imaculada Conceição (Feast of the Immaculate Conception)
December 25	Dio da Nata (Christmas Day)

Most shops, banks and government departments are closed on these days.

Boxing Day is not a public holiday.

1.3 What time is it?

What time is it? _____	**Que horas são?**
	kay oarash sow?
It's nine o'clock _____	**São nove horas**
	sow nov oarash
– five past ten _____	**São dez e cinco**
	sow dez ee seenkoo
– a quarter past eleven	**São onze e um quarto**
	sow onz ee oom cuartoo
– twenty past twelve ___	**É meio dia e vinte**
	eh mayoo deeah ee veent
– half past one _____	**É uma e meia**
	eh oomah ee mayah
– twenty-five to three __	**São três menos vinte e cinco**
	sow trayge mennush veent ee seenkoo
– a quarter to four ____	**São quatro menos um quarto**
	sow cuartroo mennush oom cuartoo
– ten to five _____	**São cinco menos dez**
	sow seenkoo mennush dej/
– twelve noon _____	**É meio dia**
	eh mayoo deeah
– midnight _____	**É meia noite**
	eh mayah noyt
half an hour_____	**uma meia hora**
	oomah mayah orah
What time? _____	**A que horas?**
	ah kay orash?
What time can I come_ round?	**A que horas é que posso ir?**
	ah kay orash eh kuh possoo eer?
At... _____	**Às...**
	ush...
After..._____	**Depois das...**
	depoysh dush...
Before... _____	**Antes das...**
	antesh dush...

Between...and...	Entre as...e as...
	entrash...ee ush...
From...to...	Das...às...
	dush...ush
In...minutes	Daqui a...minutos
	dakee uh...minootoosh
– an hour	Daqui a uma hora
	dakee uh ooma ora
– ...hours	Daqui a...horas
	dakee uh...orash
– a quarter of an hour	Daqui a um quarto de hora
	dakee ah oom cuartoo dora
– three quarters of an hour	Daqui a três quartos de hora
	dakee ah trayge cuartoosh dora
early/late	cedo/tarde
	sedoo/tard
on time	a horas
	uh orash
summertime	horário de verão
	oraryoo duh verau
wintertime	horário de inverno
	orarioo duh invairnoo

1.4 One, two, three...

0	zero	*zairoo*
1	um	*oom*
2	dois	*doysh*
3	três	*trayge*
4	quatro	*cuartroo*
5	cinco	*seenkoo*
6	seis	*saysh*
7	sete	*set*
8	oito	*oytoo*
9	nove	*nov*

10	_____	dez	*dej*
11	_____	onze	*onz*
12	_____	doze	*doaze*
13	_____	treze	*treyze*
14	_____	catorze	*cattorz*
15	_____	quinze	*keenze*
16	_____	dezasseis	*dezzasaysh*
17	_____	dezassete	*dezzaset*
18	_____	dezoito	*dezzoytoo*
19	_____	dezanove	*dezzanov*
20	_____	vinte	*veent*
21	_____	vinte e um	*veenty oom*
22	_____	vinte e dois	*veenty doysh*
30	_____	trinta	*treenta*
31	_____	trinta e um	*treenty oom*
32	_____	trinta e dois	*treenty doysh*
40	_____	quarenta	*cuarenta*
50	_____	cinquenta	*seencuenta*
60	_____	sessenta	*sessenta*
70	_____	setenta	*settenta*
80	_____	oitenta	*oytenta*
90	_____	noventa	*nooventa*
100	_____	cem	*same*
101	_____	cento e um	*sentoo ee oom*
110	_____	cento e dez	*sentoo ee dej*
120	_____	cento e vinte	*sentoo ee veent*
200	_____	duzentos	*doozentoosh*
300	_____	trezentos	*trayzentoosh*
400	_____	quatrocentos	*cuartroosentoosh*
500	_____	quinhentos	*keenyentush*
600	_____	seiscentos	*sayshsentoosh*
700	_____	setecentos	*setsentoosh*
800	_____	oitocentos	*oytsentoosh*
900	_____	novecentos	*novsentoosh*
1000	_____	mil	*meel*
1100	_____	mil e cem	*meely same*
2000	_____	dois mil	*doysh meel*

10,000 _____	dez mil	*dej meel*
100,000 _____	cem mil	*say meel*
1,000,000 _____	milhão	*meelyau*
1st _____	primeiro	*preemayroo*
2nd _____	segundo	*seggoondoo*
3rd _____	terceiro	*tairsayroo*
4th _____	quarto	*cuartoo*
5th _____	quinto	*keentoo*
6th _____	sexto	*seshtoo*
7th _____	sétimo	*settimoo*
8th _____	oitavo	*oytahvoo*
9th _____	nono	*nohnoo*
10th _____	décimo	*dessimoo*
11th _____	décimo primeir	*dessimoo preemayroo*
12th _____	décimo segundo	*dessimoo segundoo*
13th _____	décimo terceiro	*dessimoo tairsayroo*
14th _____	décimo quarto	*dessimoo cuartoo*
15th _____	décimo quinto	*dessimoo keentoo*
16th _____	décimo sexto	*dessimoo seshtoo*
17th _____	décimo sétimo	*dessimoo settimoo*
18th _____	décimo oitavo	*dessimoo oytarvoo*
19th _____	décimo nono	*dessimoo nohnoo*
20th _____	vigésimo	*veejezimoo*
21st _____	vigésimo primeiro	*veejezimoo preemayroo*
22nd _____	vigésimo segundo	*veejezimoo segoondoo*
30th _____	trigésimo	*treejezimoo*
100th _____	centésimo	*sentezimoo*
1000th _____	milésimo	*milezimoo*
once _____	uma vez	
	ooma vayzh	
twice _____	duas vezes	
	dooash vayzesh	
double _____	o dobro	
	oo dobroo	

triple _____	o triplo
	oo treeploo
half _____	a metade
	uh mettard
a quarter _____	um quarto
	oom cuartoo
a third _____	um terço
	oom tairsoo
a couple, a few, some __	um par de, uns, alguns
	oom par duh, oonsh, algoomash
2+4=6 _____	dois mais quatro são seis
	doysh mysh cuartroo sow saysh
4-2=2 _____	quatro menos dois são dois
	cuartroo mennush doysh sow doysh
2x4=8 _____	dois vezes quatro são oito
	dooash vayzesh cuartroo sow oytoo
4÷2=2 _____	quatro a dividir por dois são dois
	cuartroo uh divvideer por doysh sow doysh
odd/even _____	par/ímpar
	par/eempar
total_____	(em) total
	(aim) tootal
6x9 _____	seis por nove
	saysh por nov

1.5 The weather

Is the weather going ___ to be good/bad?	**Estará bom/mau tempo?**
	estarah bom tempoo?
Is it going to get _____ colder/hotter?	**Estará mais frio/calor?**
	estarah mysh freeooh/calore?
What temperature is it__ going to be?	**Quantos graus vão estar?**
	cuarntoosh growsh vow eshtar?
Is it going to rain? _____	**Vai chover?**
	vy shoover?

abafado muggy
aguaceiro shower
ameno mild
bom tempo fine
céu limpo clear
céu pouco/muito nublado light/heavy clouds
(cheio de) sol sunny
chuva rain
chuvisco drizzle
chuvoso wet
ciclone hurricane
fresco cool
frio cold
gelo ice
geada frost
granizo hail

... graus abaixo/acima de zero ...degrees above/below zero
húmido damp
nebuloso cloudy
neve snow
nevoeiro fog
nublado overcast
quente hot
quentíssimo scorching hot
rajadas de vento squalls
ruim bleak
tempestuoso stormy
trovoada thunderstorm

vaga de calor heatwave
vento wind
vento fraco/ moderado/forte light/moderate/ strong wind
ventoso windy

Is there going to be a storm?	Vamos ter uma tempestade?
	varmoosh ter ooma tempeshtard?
Is it going to snow?	Vai nevar?
	vy nevvar?
Is it going to freeze?	Vai haver nevoeiro?
	vy aver nevvooayroo?
Is the thaw setting in?	Vai fazer trovoada?
	vy fazzair troovooarda?
Is it going to be foggy?	O tempo vai mudar?
	oo tempoo vy moodar?
It's cooling down	Vai arrefecer
	vy arryfessair
What's the weather going to be like today/ tomorrow?	Que tempo vamos ter hoje/amanhã?
	kuh tempoo varmoosh tair oarje/ahmanyar?

1.6 Here, there...

See also 5.1 Asking for directions

here/there	aqui/ali
	akee/alee
somewhere/nowhere	em algum/nenhum lugar
	aim algoom/nenewm loogar
everywhere	em todo o lado
	aim tohdoo oo lardoo
far away/nearby	longe/perto
	lonj/peartoo
right/left	para a direita/esquerda
	parra uh dirrayta/eshkerda
right/left of	à direita/esquerda de
	ah dirrayta/eshkerda duh
straight ahead	em frente
	aim frent
via	por
	poor
in	em
	aim
on	sobre
	sohbre
under	debaixo de
	debyshoo duh
against	contra
	contrah
opposite	em frente
	aim frent
next to	ao lado de
	ow lardoo duh
near	perto
	pairto
in front of	em frente de
	aim frent duh

in the centre	_____	no centro
		noo sentroo
forward	_____	para diante
		parra deeant
downward	_____	para baixo
		parra byshoo
upward	_____	para cima
		parra seema
inward	_____	para dentro
		parra dentroo
outward	_____	para fora
		parra foura
backward	_____	para trás
		parra traj
at the front	_____	à frente
		ah frent
at the back	_____	atrás
		atraj
in the north	_____	no norte
		noo nort
to the south	_____	para o sul
		para oo sool
from the west	_____	de oeste/do oeste
		di esht/doo esti
from the east	_____	de leste/do leste
		duh lesht/doo lesti
to...from	_____	a...de
		ah...duh

1.7 What does that sign say?

See also 5.4 Traffic signs

aberto/fechado
open/closed

água não potável
not drinking water

alta tensão high
voltage

aluga-se for hire

avariado/não
funciona out of
order

caixa pay here

completo full

cuidado com o cão
beware of the dog

cuidado com o
degrau mind the
step

é favor não
incomodar do not
disturb

elevador lift

empurre/puxe
push/pull

escada steps

entrada entrance

entrada livre/grátis
entry free

escada de incêndio
fire escape

escada rolante
escalator

homens gents/
gentlemen

horário opening
hours

informações
information

lavabos toilets

liquidação clearance

liquidação total
closing-down sale

não mexer do not
touch

passagem/entrada
proibida no entry

perigo danger

perigo de incêndio
fire hazard

posto de primeiros
socorros first aid

primeiro andar first
floor

proibida a entrada
de animais no pets
allowed

proibido fazer
fogueira no open
fires

proibido fotografar
no photographs

proibido fumar no
smoking

proibido pisar a
relva keep off the
grass

propriedade privada
private (property)

recepção reception

reservado reserved

saída exit

saída de emergência
emergency exit

saldos sale

senhoras ladies

sinal de alarme
alarm signal

tinta fresca wet paint

vende-se for sale

1.8 Telephone alphabet

a	_____	*ah*	América	*amereeka*
b	_____	*bay*	Bernardo	*bairnardoo*
c	_____	*say*	Colónia	*colonnia*
d	_____	*day*	Dinamarca	*deenamarca*
e	_____	*eh*	Espanha	*eshpanya*
f	_____	*ef*	França	*fransa*
g	_____	*jey*	Grécia	*gressia*
h	_____	*gar*	Holanda	*ollanda*
i	_____	*ee*	Irlanda	*earlanda*
j	_____	*jotta*	Japão	*japown*
k	_____	*kappa*	Kremlim	*kremleen*
l	_____	*el*	Londres	*londresh*
m	_____	*me*	Madrid	*madree*
n	_____	*ene*	Nápoles	*napolesh*
o	_____	*oh*	Oslo	*ojloo*
p	_____	*peh*	Portugal	*poortoogarl*
q	_____	*q*	Quilo	*keeloo*
r	_____	*err*	Rússia	*roossia*
s	_____	*ess*	Suécia	*swessia*
t	_____	*tay*	Turquia	*toorkeea*
u	_____	*u*	Uruguai	*ooroogwy*
v	_____	*vay*	Vitória	*veetoria*
w	_____	*vay*	Washington	*vasheengton*
x	_____	*sheej*	Xangai	*shangai*
y	_____	*ípsilon*		
z	_____	*zey*	Zurique	*zooreek*

1.9 Personal details

surname _____ apelido
apelleedoo

christian name(s) _____ nome
nom

initials _____ iniciais
iniciaish

address (street/number) morada (rua/número)
moorada (rua/noomeroo)

post code/town _____ código postal
coddigoo pooshtal

sex (male/female) _____ sexo (masculino/feminino)
sexoo (mashculeenoo/femineenoo)

nationality _____ nacionalidade
nasseeonalidad

date of birth_____ data de nascimento
data duh nashsimentoo

place of birth_____ local de nascimento
local duh nashsimentoo

occupation _____ profissão
proofissow

married/single/divorced casado/solteiro/divorciado
cazadoo/solltayroo/divorciadoo

widowed _____ viúva/viúvo
vioova/vioovoo

(number of) children____ (número de) filhos
noomeroo duh feelyoosh

identity card/passport/ _ número de bilhete de identidade/
   driving licence number   passaporte/carta de condução
noomeroo duh beelyet duh eedentidad/
passaport/carta duh condusow

place and date of _____ local e data de emissão
   issue   *loocal ee data duh emissow*

23

2 Courtesies

● **It is usual in Portugal** to shake hands on meeting and parting company. Female friends and relatives may kiss each other on both cheeks when meeting and parting company. With men this varies according to the region.

2.1 Greetings

Hello, Mr Smith	Olá, senhor Smith/Olá, Seu Smith
	Mahjoonyor Smitzh/olah sayoo Smith
Hello, Mrs Jones _____	Olá, Senhora Jones
	olah, senyora Jones
Hello, Peter _____	Olá, Peter
	olah, Peter
Hi, Helen _____	Viva, Helen
	viva, Helen
Good morning, madam_	Bom dia, minha senhora
	bom deeah, meenya senyora
Good afternoon, sir ____	Boa tarde, senhor
	Boa tard, senyor
Good evening _____	boa noite
	boa noyt
Good day_____ ___	Bom dia
	bom deeah
How are you? _____	Como está?
	comoo eshtah?
Fine, thank you, _____ and you?	Bem obrigado, e o senhor?
	baim obrigahdoo, ee oo senyor?
Very well_____	Óptimo
	otimoo
Not very well_____	Mais ou menos
	maiz oh mennush
Not too bad_____	Vai se andando
	vysuh andandoo
I'd better be going _____	Vou andando
	vo andandoo

I have to be going. Someone's waiting for me	Tenho de ir. Estão à minha espera *tenyo duh ear. eshtau uh meenya eshperah*
Goodbye	Tchau! *chau*
See you soon	Adeus! *adayoosh!*
See you later	Até logo! *atay loggoo!*
See you in a little while	Até breve! *atay brev!*
Sleep well	Durma bem *dourma baim*
Goodnight	Boa noite *boa noyt*
All the best	Que tudo lhe corra bem *kuh toodoo lher courrah baim*
Have fun	Divírta-se *deeverts suh*
Good luck	Muita sorte/Boa sorte *muinta sort*
Have a nice holiday	Boas férias *boash ferriash*
Have a good trip	Boa viagem *boa viarjaim*
Thank you, you too	Obrigado, igualmente *obbrigahdoo, eeguarlment*
Say hello to...for me	Dê cumprimentos a... *day coomprimentoosh ah...*

2.2 How to ask a question

Who?	Quem? *kaim?*
Who's that?	Quem é? *kaim eh?*

What? _____	O quê?
	oo kay?
What's there to _____ see here?	O que é que se pode visitar aqui?
	oo kee eh kuh suh pod veesitar akee?
What kind of hotel _____ is this?	Que tipo de hotel é este?
	kuh teepoo di ohtel eh esht?
Where? _____	Onde?
	ond?
Where's the toilet? _____	Onde são os lavabos?
	ond sow nosh lavabuosh?
Where are you going? __	Para onde vai?
	parra ond vy?
Where are you from? ___	De onde é?
	di ond eh?
How? _____	Como?
	commoo?
How far is that? _____	A que distância fica?
	ah kay dishtancia feeka?
How long does _____ that take?	Quanto tempo dura?
	cuarntoo tempoo doura?
How long is the trip? ___	Quanto tempo dura a viagem?
	cuarntoo tempoo doura ah veeargaim?
How much? _____	Quanto?
	cuarntoo?
How much is this? _____	Quanto custa isto?
	cuarntoo cooshter eeshtoo?
What time is it? _____	Que horas são?
	kay orash sow?
Which? _____	Qual? Quais?
	quarl? cwysh?
Which glass is mine? __	Qual é o meu copo?
	quarl eh oo mayoo coppoo?
When? _____	Quando?
	cwarndoo?
When are you leaving? _	Quando é que parte?
	cwarndoo eh kuh part?

Why?	**Porquê?**
	poorkay?
Could you...me?	**Poderia...me?**
	pooderia...muh?
Could you help me, please?	**Poderia ajudar-me se faz favor?**
	pooderia ajoodar muh suh faj favor?
Could you point that out to me?	**Poderia indicar-mo?**
	pooderia eendi-eecar moo?
Could you come with me, please?	**Poderia vir comigo, se faz favor?**
	pooderia veer comeego, suh faj favor?
Could you reserve some tickets for me, please?	**Poderia reservar-me bilhetes?**
	pooderia resairvar muh beelyettsh?
Do you know whether...?	**Por acaso, sabe se...?**
	por acarzoo, sab si...?
Do you have...?	**Tem...?**
	tame...?
Do you know another hotel, please?	**Conhece outro hotel?**
	koonyes ohtroo ohtel?
Could you give me...?	**Podia dar-me...?**
	poodeeah dar muh...?
Do you have a vegetarian dish, please?	**Tem por acaso um prato sem carne?**
	tame poor acasoo oom prartoo same carn?
I'd like...	**Eu queria...**
	ew kereeah...
I'd like a kilo of apples, please.	**Eu queria um quilo de maçãs**
	ew kereeah oom keeloo duh massangsh
Can I...?	**Posso...?**
	possoo...?
Can I take this?	**Posso levar isto?**
	possoo levvar eeshtoo?
Can I smoke here?	**Posso fumar aqui?**
	possoo foomar akee?
Could I ask you something?	**Posso fazer-lhe uma pergunta?**
	possoo fazzair lhuh ooma pairgoontah?

2.3 How to reply

Yes, of course_____	**Sim, claro** *see, claroo*
No, I'm sorry _____	**Não, desculpe** *now, deshcoolp*
Yes, what can I do _____ for you?	**Em que posso ser-lhe útil?** *aim kuh possoo sair lheh ooteel?*
Just a moment, please	**Um momento, se faz favor** *oom moomehntoo, suh fash favvor*
No, I don't have _____ time now	**Não, agora não tenho tempo** *now, agorah now tenyoo tempoo*
No, that's impossible___	**Não, isso é impossível** *now, eessoo eh imposseevel*
I think so _____	**Creio que sim** *crayoo kuh see*
I agree _____	**Eu também penso que sim** *eyoo tambaim pensoo kuh see*
I hope so too_____	**Também o espero** *tambaim oo eshpearoo*
No, not at all _____	**Não, de modo nenhum** *now, duh mohdoo nenyoom*
No, no one_____	**Não, ninguém** *now, ningame*
No, nothing _____	**Não, nada** *now, narda*
That's (not) right _____	**Isso está certo (isso está errado)** *eesoo eshtah sairtoo (eesoo eshtah errardoo)*
I (don't) agree _____	**(Não) estou de acordo/Não concordo consigo** *(now) eshtoe di acordoo/now concordoo conseegoo*
All right_____	**Está certo** *eshtah sairtoo*

Okay _____	**De acordo**
	di acordoo
Perhaps _____	**Talvez**
	talvayj
I don't know _____	**Não sei**
	now say

2.4 Thank you

Thank you _____	**Obrigado/muito obrigado**
	obbrigahdoo/mweentoo obbrigahdoo
You're welcome _____	**De nada/foi um prazer**
	duh narda/foy oom prahzair
Thank you very much __	**Muitíssimo obrigado**
	mweenteessimoo obbrigahdoo
Very kind of you _____	**Muito amável da sua parte**
	mweentoo amarvel da suah part
I enjoyed it very much__	**Foi um verdadeiro prazer**
	foy oom verdadayroo prahzair
Thank you for your_____	**Agradeço-lhe o incómodo**
trouble	*agraddaysoo lhyer oo eencomodoo*
You shouldn't have ____	**Não precisava se incomodar**
	now preceesarva si eencomoodar
That's all right _____	**Não tem de que**
	now taim duh kay

2.5 Sorry

Sorry! _____	**Perdão**
	perdow
Excuse me_____	**Com licença**
	com leesensa

I'm sorry! _____	Desculpe!
	deshcoolp!
I'm sorry, I didn't know...	Desculpe, eu não sabia que ...
	deshcoolp, eyoo now sabeeah kuh...
I do apologise _____	Desculpe-me
	deshcoolp muh
I'm sorry _____	Lamento
	lamentoo
I didn't do it on purpose, it was an accident	Não fiz de propósito, foi sem querer
	now fooj duh propjozeetoo, foy same kerrair
That's all right _____	Não faz mal
	now faj mal
Never mind _____	Deixe lá
	daysh la
It could've happened to anyone	Pode acontecer com toda a gente
	pod acontessair com toeda ah jent

2.6 What do you think?

What do you think? _____	O que acha?
	oo keh asha?
What do you prefer? _____	O que prefere?
	oo keh prefair?
Don't you like dancing?	Não gosta de dançar?
	now goshta duh dansar?
I don't mind _____	É me indiferente/Tanto faz
	eh muh eendeeferent/tantoo faj
Well done! _____	Muito bem!
	mueentoo baim!
Not bad! _____	Não está mal
	now eshtah mal!
Great! _____	Optimo!
	ottimoo!
Wonderful! _____	Que delícia!
	kay delleecia!

It's really nice here! ____	**Que bem que se está aqui!**
	kay baim kuh si eshtah akee!
How nice! _____	**Que giro/bonito!**
	kay geeroo/ booneetoo!
How nice for you! _____	**Que bom para si!**
	kay bom parra see!
I'm (not) very happy ____	**(Não) estou muito contente com...**
with...	*(now) eshtoe mweentoo content com...*
I'm glad... _____	**Alegra-me que ...**
	allegra muh kuh...
I'm having a great time _	**Divirto-me muito**
	deeveertoo muh mweentoo
I'm looking forward to _	**Aguardo com muito prazer ...**
it	*agwardoo com mweentoo prazair...*
I hope it'll work out ____	**Espero que dê resultado**
	eshpairoo kuh day resultardoo
That's ridiculous! _____	**Que ridículo!**
	kay reedeecooloo!
That's terrible! _____	**Que terrível!**
	kay tereevel!
What a pity! _____	**Que pena!** *kay pena!*
That's filthy! _____	**Que sujo!**
	kay soojoo!
What a load of _____	**Que disparate!**
rubbish!	*kay deeshparatt!*
I don't like... _____	**Não gosto de ...**
	now goshtoo duh
I'm bored to death ____	**Aborreço-me terrívelmente**
	aboressoo muh terreevelment
I've had enough _____	**Estou farto/farta**
	eshtoe fartoo/farta
This is no good _____	**Assim não pode ser**
	assee now pod sair
I was expecting _____	**Esperava outra coisa completamente**
something completely	**diferente**
different	*eshperarvah ohtra coyza completament*
	deeferent

32

3 Conversation

3.1 I beg your pardon?

I don't speak any/ _____ I speak a little...	Não falo/falo um pouco *now faloo/faloo oom poecoo*
I'm English_____	Sou inglês/inglesa *so inglej/ingleza*
I'm Scottish_____	Sou escocês/escocesa *so eshcossayj/eshcossayza*
I'm Irish _____	Sou irlandês/irlandesa *so earlandayj/earlandayza*
I'm Welsh_____	Sou galês/sou galesa *so gallayj/so gallayza*
Do you speak _____ English/French/ German?	Fala inglês/francês/alemão? *fala inglej/fransayj/allaymau?*
Is there anyone who ___ speaks...?	Há alguém que fale...? *ah algaim kuh fal...?*
I beg your pardon? ____	O que é que diz? *oo kay eh kuh deej?*
I (don't) understand ____	(Não) compreendo *(now) comprayendoo*
Do you understand ____ me?	Compreende-me? *comprend muh?*
Could you repeat that, _ please?	Podia repetir se faz favor? *poodeer repeteer suh faj favvor?*
Could you speak more _ slowly, please?	Podia falar mais devagar? *poodeer falar mysh de-vaggar?*
What does that word___ mean?	O que significa aquilo/aquela palavra? *oo kuh signifeeka akeeloo/akella pallavra?*
Is that similar to/the____ same as...?	É (quase) a mesma coisa que...? *eh (quaz) ah mejma coyza kuh...?*
Could you write that ___ down for me, please?	Podia escrever? *poodeer eshcrevair?*
Could you spell that ___ for me, please?	Podia soletrar? *poodeer soolittrar?*

(See 1.8 Telephone alphabet)

Could you point that ___ out in this phrase book, please?	Podia indicar aqui no guia? *poodeer indeecar akee noo gueea?*
One moment, please, ___ I have to look it up	Um momento, tenho de procurar *oom moomentoo tenyoo duh procurar*
I can't find the _____ word/the sentence	Não encontro a palavra/a frase *now encontroo ah palarvra/ah frarz*
How do you say _____ that in...?	Como é que se diz em ...? *cohmoo eh kuh suh deej aim...?*
How do you _____ pronounce that?	Como é que se pronuncia? *cohmoo eh kuh suh proonoonsia?*

3.2 Introductions

May I introduce _____ myself?	Posso apresentar-me? *possoo apprezentar muh?*
My name's... _____	Chamo-me... *shamoo muh...*
I'm... _____	Sou... *so...*
What's your name? ____	Como se chama? *commoo suh shamma?*
May I introduce...? _____	Apresento lhe... *aprezentoo lhya...*
– my wife/ daughter/ ___ mother/girlfriend	A minha mulher/filha/mãe/amiga *uh meenya moolyer/feelya/ameega*
– my husband/son/ ____ father/boyfriend	O meu marido/filho/pai/amigo *oo mayoo mareedoo/foolyoo/amoogoo*
How do you do_____	Muito prazer em conhecê-lo *mueentoo prazair aim coonyessay loo*
Pleased to meet you ___	Muito prazer (em conhecê-lo) *mueentoo prazair aim coonyessay loo*

Where are you from?	Donde é?/De onde é?
	dond eh?/di ondi eh?
I'm from England/Scotland/Ireland/Wales	Sou da Inglaterra/Escócia/Irlanda/Gales
	so da eenglatera/eshcossia/eerlanda/garlesh
What city do you live in?	Em que cidade mora?
	aim kay sidard mora?
In... It's near...	Em... É perto de...
	aim... eh pairtoo duh
Have you been here long?	Já está cá há muito tempo?
	jah eshtah cah hah mweentoo tempoo?
A few days	Há uns dias
	ha unsh deeash
How long are you staying here?	Quanto tempo fica cá?
	cuarntoo tempoo feeka cah?
We're (probably) leaving tomorrow/in two weeks	Partimos (provavelmente) amanhã/daqui a duas semanas
	partimoosh (proovarvelment) armanyar/dakee ah dooash semarnash
Where are you staying?	Onde está hospedado?
	ond eshtah oshpedardoo?
In a hotel/an apartment	Num hotel/apartamento
	noom ohtel/ apartarmentoo
On a camp site	Num parque de campismo
	noom park duh campeejmoo
With friends/relatives	Em casa de uns amigos/familiares
	aim carza di uns amigoosh/familiaresh
Are you here on your own/with your family?	Está cá sozinho/com a família?
	eshtah cah sozeenyoo/com ah fameelya?
I'm on my own	Estou sozinho
	eshtoe sozeenyoo
I'm with my partner/wife/husband	Estou com a minha amiga/o meu amigo/a minha mulher/o meu marido
	eshtoe com ah meenya ameega/oo mayoo ameegoo/ah meenya mullyer/oo mayoo mareedoo

– with my family _____	Estou com a minha família *eshtoe com ah meenya fameelya*
– with relatives _____	Estou com familiares *eshtoe com familiaresh*
– with a friend/friends __	Estou com um amigo/uma amiga/amigos *eshtoe com oom ameegoo/ooma ameega/* *ameegoosh*
Are you married? _____	É casado/casada? *eh cazardo/cazarda*
Do you have a steady __ boyfriend/girlfriend?	Tens namorado/namorada? *taynsh namorardoo/namorardah?*
That's none of your _____ business	Não tem nada com isso *now taim narda com eesoo*
I'm married _____	Sou casado/casada *so cazardo/cazarda*
– single_____	Sou solteiro/solteira *so soltayroo/soltayrah*
– separated _____	Estou separado/separada *eshtoe separardoo/separardah*
– divorced _____	Estou divorciado/divorciada *eshtoe deevorciardoo/deevorciardah*
– a widow/widower _____	Sou viúva/viúvo *so veeoova/veeoovoo*
I live alone/with_____ someone	Vivo sozinho/com um companheiro *veevoo sozzeenyoo/com oom* *companyayroo*
Do you have any _____ children/grandchildren?	Tem filhos/netos? *taim feelyoosh/nettoosh?*
How old are you?_____	Que idade tem? *kuh eedad taim?*
How old is she/he? _____	Que idade tem ela/ele? *kuh eedad taim ella/el?*
I'm... _____	Tenho...anos *tenyo...anoosh*

She's/he's...	Ela/ele tem...anos
	ella/el taim...anoosh
What do you do for a living?	O que é que faz?
	oo kay eh kuh faj?
I work in an office	Trabalho num escritório
	trabalyoo noom eshcritoryoo
I'm a student/ I'm at school	Estudo/ando na escola
	eshtoodoo/andoo nah eshcolla
I'm unemployed	Estou desempregado
	eshtoe dezempregardoo
I'm retired	Estou reformado
	eshtoe refformardoo
I'm on a disability pension	Estou reformado por causa de inválidez
	eshtoe refformardoo por cowza di eenvallidesh
I'm a housewife	Sou dona de casa
	so donna duh carza
Do you like your job?	Gosta do seu trabalho?
	goshta doo sayoo trabalyoo?
Most of the time	Às vezes sim, às vezes não
	aj vaizesh see, aj vaizesh now
I usually do, but I prefer holidays	Geralmente sim, mas gosto mais de férias
	jerarlment si maj goshtoo mysh duh ferriash

3.3 Starting/ending a conversation

Could I ask you something?	Posso fazer-lhe uma pergunta?
	possoo fazer lyer ooma pergoontah
Excuse me	Desculpe
	deshcoolp
Excuse me, could you help me?	Desculpe, podia ajudar-me?
	deshcoolp poodeer ajoodar muh?

Yes, what's the problem?	Sim, o que é?
	see oo kee eh?
What can I do for you? __	O que deseja?
	oo kuh dezayjah?
Sorry, I don't have time now	Desculpe, agora não tenho tempo
	deshcoolp agorah now tenyoo tempoo
Do you have a light? ___	Tem lume?
	taim loom?
May I join you? _____	Posso sentar-me ao seu lado?
	posso sentar muh ow sayoo lardoo?
Could you take a picture of me/us? Press this button	Podia tirar me/tirar-nos uma fotografia? Carregue neste botão.
	podia tirar muh/tirrar nooz ooma fotrafffia? carreg nesht bootau
Leave me alone _____	Deixe-me em paz
	daysh muh aim paj
Get lost _____	Vá-se embora!
	vah suh emborah!
Go away or I'll scream _	Se não se for embora, começo a gritar!
	suh now suh for emborah comessoo ah greetarr!

3.4 Congratulations and condolences

Happy birthday/many happy returns	Feliz aniversário!
	feleej annivaisaryoo!
Please accept my condolences	Os meus pêsames
	oosh mayoosh pezamesh
I'm very sorry for you __	Sinto muito
	seentoo mueentoo

3.5 A chat about the weather

See also 1.5 The weather

It's so hot/cold today! __	Que calor/frio está hoje!
	kay calorr/freeyoo eshtah oarje!
Nice weather, isn't it? __	Que bom tempo!
	kay bom tempoo!
What a wind/storm! ____	Que vento/tempestade!
	kay ventoo/tempeshtad!
All that rain/snow! _____	Que chuva/neve!
	kay choova/nev!
All that fog! _____	Que nevoeiro!
	kay nevooayroo!
Has the weather been__ like this for long here?	O tempo já está assim há muitos dias?
	oo tempoo jah eshtah aseem ah mueentoosh deeash?
Is it always this _____ hot/cold here?	Aqui está sempre tanto calor/frio?
	akee eshtah semprah tantoo calor/freeyoo?
Is it always this _____ dry/wet here?	Aqui o tempo está sempre tão seco/húmido?
	akee oo tempoo eshtah semprah tau saycoo/ oomidoo?

3.6 Hobbies

Do you have any _____ hobbies?	Tem algum passatempo?
	taim algoom passatempoo?
I like painting/ _____ reading/photography/ DIY	Gosto de pintar/ler/fotografar/biscates
	gostoo duh peentar/lair/fotoggrafar/ beeshcatsh
I like music _____	Gosto de música
	goshtoo duh moosica

I like playing the _____ guitar/piano	Gosto de tocar guitarra/piano *goshtoo duh toocar guitarra/pianoo*
I like going to the _____ movies	Gosto de ir ao cinema *goshtoo duh ir ow cinaymah*
I like travelling/ _____ sport/fishing/walking	Gosto de viajar/fazer desporto/pescar/passear *goshtoo duh veeajar/fazair deshportoo/passeear*

3.7 Being the host(ess)

See also 4 Eating out

Can I offer you a _____ drink?	Posso oferecer-lhe uma bebida? *possoo offeressair lya ooma bebbeeda?*
What would you like ___ to drink?	O que é que queres beber? *oo kee eh kuh cairesh bebbair?*
Something non- _____ alcoholic, please	Preferia uma bebida não alcoólica *prefferia ooma bebbeeda now alcoohollica*
Would you like a_____ cigarette/cigar/to roll your own?	Quer um cigarro/charuto/cigarro de enrolar? *care oom cigaroo/sharootoo/cigaroo duh enroolar?*
I don't smoke _____	Não fumo *now foomoo*

3.8 Invitations

Are you doing anything_ tonight?	Vais fazer alguma coisa esta noite? *vysh fazzair algooma coyza eshta noyt?*
Do you have any plans _ for today/this afternoon/tonight?	Já tem planos para hoje/esta tarde/hoje à noite? *jah taim planoosh parra oarje/eshta tard/ oarje ah noyt?*

Would you like to go ___ out with me?	Gostaria de sair comigo? *goshtareeah duh syeer commeegoo?*
Would you like to go ___ dancing with me?	Quer dançar comigo? *care dansar commeegoo?*
Would you like to have _ lunch/dinner with me?	Quer almoçar/jantar comigo? *care almoosar/jantar commeegoo?*
Would you like to ___ come to the beach with me?	Quer ir à praia comigo? *care eer ah prya commeegoo?*
Would you like to ___ come into town with us?	Quer ir ao centro connosco? *care eer ow sentroo conoshcoo?*
Would you like to ___ come and see some friends with us?	Quer ir a casa de uns amigos connosco? *care eer ah carza di unsh ameegoosh conoshcoo?*
Shall we dance?_____	Vamos dançar? *varmoosh dansar?*
– sit at the bar? _____	Vámonos sentar no bar? *vamoo noosh sentar noo bar?*
– get something to ___ drink?	Vámos beber qualquer coisa? *varmoosh bebbair qualcair coyza?*
– go for a walk/drive? __	Vámos dar uma volta a pé/de carro? *varmoosh dar ooma vollta ah peh/duh cahroo?*
Yes, all right_____	Sim, está bem *si eshtah baim*
Good idea _____	Boa idéia *boa eedaya*
No (thank you) _____	Não (obrigado) *now obrigardoo*
Maybe later _____	Talvez logo *talvej loggoo*
I don't feel like it_____	Não me apetece *now muh aptess*
I don't have time _____	Não tenho tempo *now tenyoo tempoo*

I already have a date___	Já tenho outro encontro
	jah tenyoo ohtroo encontroo
I'm not very good at ___ dancing/volleyball/ swimming	Não sei dançar/jogar voleibol/nadar
	now say dansar/joogar volleybol/naddar

3.9 Paying a compliment

You look wonderful!___	Estás com tão bom aspecto!
	eshtash com tau bom ashpectoo!
I like your car! _____	Que lindo carro!
	kuh leendoo cahroo!
You have beautiful hair _	Tens cabelo lindo!
	tensh cabayloo leendoo!
You're a nice boy/girl___	És um rapaz amoroso/uma rapariga amorosa
	ez oom rappaj amorozzo/ooma rappareega amorozza
What a sweet child! ____	Que criança amorosa!
	kay creeansa amorozza!
You're a wonderful___ dancer!	Danças muito bem!
	dansash mweentoo baim!
You're a wonderful___ cook!	Cozinhas muito bem!
	coozeenyash mweentoo baim!
You're a terrific soccer _ player!	Jogas futebol muito bem!
	joggash footboll mweentoo baim!

3.10 Chatting someone up

I like being with you___	Gosto de estar contigo
	goshtoo di eshtar conteegoo
I've missed you so ___ much	Senti muito a tua falta
	sentee mweentoo ah tooah falta

I dreamt about you ____	**Sonhei contigo** *sonyay conteegoo*
I think about you all ____ day	**Penso o dia inteiro em ti** *pensoo oo deeah eentayroo aim tee*
You have such a sweet_ smile	**Tens um sorriso lindo** *taynz oom sooreesoo leendoo*
You have such _____ beautiful eyes	**Tens uns olhos tão lindos** *taynz oonz ollyoosh tau leendoosh*
I'm in love with you ____	**Estou apaixonado/a por ti** *eshtoe appaishonardoo/a por tee*
I'm in love with you too_	**E eu por ti** *ee ew por tee*
I love you_____	**Amo-te** *ammoo tuh*
I love you too _____	**Eu também te amo** *ew taubaim tee ammoo*
I don't feel as strongly_ about you	**Não sinto um grande amor por ti** *now oo seentoo oom grand amor por tee*
I already have a _____ boyfriend/girlfriend	**Já tenho um namorado/uma namorada** *jah tenyoo oom namorardoo/ooma namorardah*
I'm not ready for that___	**Ainda não cheguei a esse ponto** *ayeenda now shegay ah ess pontoo*
This is going too fast___ for me	**Eu preciso de mais tempo** *ew preseezoo duh mysh tempoo*
Take your hands off ____ me	**Não te metas comigo** *nao tuh metash commeegoo*
Okay, no problem_____	**Está bem, não faz mal** *estah baim now faj mal*
Will you stay with me __ tonight?	**Ficas esta noite comigo?** *feecash eshtah noyt commeegoo?*
I'd like to go to bed ____ with you	**Quero ir para a cama contigo** *keroo eer parra ah camma conteegoo*
Only if we use a _____ condom	**Só com um preservativo** *soh com oom preservateevoo*

We have to be careful ___ about AIDS	Temos de ser cautelosos com a SIDA *taymoosh de sair cowtellozush com ah seeda*
That's what they all ____ say	É o que todos dizem *eh oo kuh toedoosh deezaim*
We shouldn't take any___ risks	Não podemos correr riscos *now poodaymoosh correr reeshcush*
Do you have a _____ condom?	Tens um preservativo? *taynz oom preservateevoo?*
No? In that case we ___ won't do it	Não? Então não podemos *now? entuu now poodaymoosh*

3.11 Arrangements

When will I see _____ you again?	Quando é que te volto a ver?/Quando é que vejo você de novo? *cwarndoo eh kuh tuh voltoo ah vair?*
Are you free over the___ weekend?	Tem tempo no fim-de-semana? *taim tempoo noo feem duh semarna?*
What shall we _____ arrange?	O que é que combinamos? *oo ki eh kuh combinarmoosh?*
Where shall we meet?___	Onde nos encontramos? *one nuz encontrarmoosh?*
Will you pick me/us ___ up?	Vem buscar-me/nos? *vaim booshcar muh/noosh?*
Shall I pick you up?____	Posso ir buscálo/la? *possoo eer bushcar loo/la?*
I have to be home by... _	Tenho de estar em casa às... *tenyoo di eshtar aim carza aj...*
I don't want to see_____ you anymore	Não o/a quero ver mais *now oo/ah kairoo vair mysh*

3.12 Saying goodbye

Can I take you home?	**Posso levá-lo/la para casa?** *possoo levar loo/la parra carza?*
Can I write/call you?	**Posso escrever-lhe/telefonar-lhe?** *possoo eshcrevair lya/teleffonar lya?*
Will you write/call me?	**Escreve me/telefóna-me?** *eshcrev muh/teleffona muh?*
Can I have your address/phone number?	**Dá me a sua morada/o seu telefone?** *dar muh ah sua morrarda/oo sayoo telefon?*
Thanks for everything	**Obrigado por tudo** *obrigardoo por toodoo*
It was very nice	**Gostei imenso** *goshtay immensoo*
Say hello to...	**Cumprimentos a...** *coomprimentoosh ah...*
All the best	**Desejo-te o melhor** *dezayjoo tuh oo mellyor*
Good luck	**Que tudo corra bem** *kuh toodoo corrah baim*
When will you be back?	**Quando voltas?** *cwarndoo volltash?*

I'll be waiting for you ___   **Espero por ti**
eshpairoo por tee

I'd like to see you ____   **Gostava de voltar a ver-te**
  again   *goshtarva duh volltar ah vair tuh*

I hope we meet_____   **Espero que a gente volte a se ver**
  again soon   **brevemente**
    eshpairoo kuh ah jent vollt ah suh vair
    broument

This is our address. ____   **Esta é a nossa morada. Se algum dia for**
  If you're ever in the   **à Inglaterra...**
  UK...   *eshta eh ah nossa morardah. se algoom*
    deeah for ah eenglaterrah...

You'd be more than ____   **É sempre bem-vindo**
  welcome   *eh semprah baim veendoo*

4 Eating out

● **In Portugal** people usually have at least three meals:
Breakfast (*pequeno almoço*) is taken between 7.30 and 10am.
Breakfast is light and consists of *café com leite* (white coffee) and
rolls and butter (*pão com manteiga*) or toast (*torradas*).
Lunch (*almoço*) is taken between midday and 2pm. It is usually quite
a substantial meal and is never rushed. Offices and shops often
close and lunch is taken at home or in a restaurant or café. The meal
usually consists of at least two courses and is often preceded by
soup. Bread is usually available on the table.
Dinner (*jantar*) is from 8pm onwards and is similar in content to
lunch. It is usually a family meal taken at home, except at weekends
and public holidays when restaurants are the preferred venue.
Some Portuguese manage to fit in *lanche* (tea) during the afternoon
whilst most cannot last until the evening meal without a snack of
some sort. Late night supper (*ceia*) is available in some bars and
small restaurants around midnight.

4.1 On arrival

I'd like to book a table for seven o'clock, please	**Posso reservar uma mesa para as sete?** *possoo resairvar ooma mayza parra ash set?*
I'd like a table for two, please	**Uma mesa para duas pessoas, se faz favor** *ooma mayza parra dooash pessoash, suh faj favvor*
We've/we haven't booked	**(Não) reservámos** *(now) resairvarmoosh*
Is the restaurant open yet?	**O restaurante já está aberto?** *oo reshtowrant jah eshtah abertoo?*
What time does the restaurant open/close?	**A que horas abre/fecha o restaurante?** *ah kay orash abre/fesha oo reshtowrant?*
Can we wait for a table?	**Podemos esperar por uma mesa?** *poddaymoosh eshpairar por ooma mayza?*

Reservou uma mesa?	Do you have a reservation?
Em que nome?	What name, please?
Por aqui, se faz favor	This way, please
Esta mesa está reservada	This table is reserved
Dentro de uns quinze minutos uma mesa fica livre	We'll have a table free in fifteen minutes
Entretanto, importava-se de esperar (no bar)?	Would you like to wait (at the bar)?

Will we have to _____ wait long?	Temos de esperar muito tempo? *taymoosh di eshpairar mweentoo tempoo?*
Is this seat taken? _____	Este lugar está livre? *esht loogar eshtah leevre*
Can we sit here/there? _	Podemos sentar aqui/alí? *poodaymoosh sentar akee/alee?*
Can we sit by the_____ window?	Podemos sentar junto à janela? *podaymoosh sentar joontoo ah janella?*
Can we eat outside? ___	Também podemos comer lá fora? *taubaim poodaymoosh comair la foura?*
Do you have another___ chair for us?	Pode-nos trazer mais uma cadeira? *pod noosh trazair maiz uma cadairah?*
Do you have a _____ highchair?	Pode-nos trazer uma cadeira de criança? *pod noosh trazer ooma cadaira de criansa?*
Is there a socket for____ this bottle-warmer?	Há uma tomada para se ligar este aquecedor de biberão? *hah ooma toomarda parra suh ligar esht akessedor duh beeberow?*
Could you warm up ____ this bottle/jar for me?	Poderia aquecer esta garrafa/este boião? *pooderia akessair eshta garraffa/este boyau?*
Not too hot, please ____	Não muito quente, se faz favor *now mweentoo kent, suh faj favvor*

Is there somewhere I ___ can change the baby's nappy?	Há aqui algum lugar onde eu possa arranjar o bébé?
	hah akee algoom loogar ond eu possa arranjar oo behbeh?
Where are the toilets? ___	Onde são os lavabos?
	ond sow oosh lavarboosh?

4.2 Ordering

Waiter! _____	Senhor empregado!/Garçon!
	senyor empregardoo!/garsonn!
Madam! _____	Minha senhora!
	meenya senyora!
Sir!_____	Senhor!
	senyor!
We'd like something to _ eat/a drink	Nós gostaríamos de comer/beber alguma coisa
	noj goshtariamosh duh commair/bebbair algooma coyza
Could I have a quick ___ meal?	Poderia comer alguma coisa rapidamente?
	pooderia commair algooma coyza rappeedament?
We don't have much ___ time	Temos pouco tempo
	taymoosh poecoo tempoo
We'd like to have a _____ drink first	Primeiro queríamos beber qualquer coisa
	preemayroo kerriamoosh bebbair qualcair coyza
Could we see the_____ menu/wine list, please?	Poderia dar nos a ementa/lista de vinhos?
	pooderia dar noosh ah ementa/leeshta duh veenyoosh?
Do you have a menu ___ in English?	Tem uma ementa em inglês?
	taim ooma ementa aim inglayj?

Do you have a dish of the day?	Tem um prato do dia/menu turístico? *taim oom prarto do dia/menu tureeshteeco?*
We haven't made a choice yet	Ainda não escolhemos *eyeenda now eshcolyemoosh*
What do you recommend?	O que é que nos recomenda? *oo kee eh kuh noosh recomenda*
What are the specialities of the region/the house?	Quais são as especialidades da região/da casa? *quysh sow az eshpecialidardesh duh regiau/ duh carza?*
I like strawberries/ olives	Gosto de morangos/de azeitonas *goshtoo duh morangoosh/de azaytonnash*
I don't like fish/meat...	Não gosto de peixe/de carne *now goshtoo duh paysh/duh carn/duh...*
What's this?	O que é isto? *oo ki eh ishtoo*
Does it have...in it?	Isto leva...? *ishtoo levva?*
What does it look like/ taste like?	Com o que é que se parece?/Tem gosto de quê? *com oo ki eh kuh suh paress?/taim gostoo duh kay?*

Desejam tomar uma bebida primeiro?	Would you like a drink first?
Já escolheram?	Have you decided?
O que querem beber?	What would you like to drink?
Bom proveito	Enjoy your meal
Querem uma sobremesa/tomar café?	Would you like a dessert/coffee?
Eu queria ainda uma aguardente, se faz favor	I'd like a brandy please

Is it a hot or a _____ cold dish?	É um prato frio ou quente? *eh oom prartoo freeoo o kent?*
Is it sweet? _____	É um prato doce? *eh oom prartoo dose?*
Is it spicy? _____	É um prato picante/com muitos temperos? *eh oom prartoo picant/com mweentoosh temperoosh?*
Do you have anything else, please?	Tem por acaso outra coisa? *taim por acazoo ohtra coyza?*
I'm on a salt-free diet	Não posso comer sal *now possoo commair sal*
I can't eat pork _____	Não posso comer carne de porco *now possoo commair carn duh porcoo*
– sugar _____	Não posso comer açúcar *now possoo commair assoocar*
– fatty foods _____	Não posso comer gorduras *now possoo commair gordourash*
– (hot) spices _____	Não posso comer coisas muito picantes *now possoo commair coyzash mweentoo picantesh*
I'll/we'll have what those people are having	O mesmo que aqueles senhores, se faz favor *oo mejmoo kuh akelesh senyoresh suh faj favvor*
I'd like... _____	Para mim... *parra me...*
We're not having a _____ starter	Não queremos entrada *now keraymoosh entrarda*
The child will share _____ what we're having	O menino come alguma coisa do nosso prato *oo menoonoo oom algooma coyza doo nossoo prartoo*
Could I have some _____ more bread, please?	Traga nos mais pão, se faz favor *tragga noosh mysh pow, suh faj favvor*

– a bottle of water/ wine	Traga nos uma garrafa de água/de vinho, se faz favor
	tragga nooz ooma garraffa duh agwa/duh veenyoo, suh faj favvor
– another helping of...	Traga nos mais uma dose de..., se faz favor
	tragga nooj myz ooma doz duh ..., suh faj favvor
– some salt and pepper	Poderia trazer sal e pimenta, se faz favor?
	pooderia trazair sal ee peementa suh faj favvor?
– a napkin	Poderia trazer um guardanapo?
	pooderia trazair oom gwardanarpoo?
– a spoon	Poderia trazer uma colher?
	pooderia trazair ooma coolyer?
– an ashtray	Poderia trazer um cinzeiro?
	pooderia trazair oom seenzayroo?
– some matches	Poderia trazer fósforos?
	pooderia trazair foshferoosh?
– some toothpicks	Poderia trazer palitos?
	pooderia trazair paleetoosh?
– a glass of water	Poderia trazer um copo de água?
	pooderia trazair oom coppoo d'agwa?
– a straw (for the child)	Poderia trazer uma palhinha (para o menino)?
	pooderia trazair ooma pallyeenya (parra o meneeno)?
Enjoy your meal!	Bom proveito!
	bom proovaytoo
You too!	Igualmente!
	eegwalmente
Cheers!	À sua saúde!
	ah sooah sowood
The next round's on me	A próxima rodada eu pago
	ah prossima roodarda ew pargoo

Could we have a _____ doggy bag, please?	Podemos levar o resto para o nosso cão? *podaymoosh levvar oo reshtoo parra oo nossoo cow?*
How much is this _____ dish?	Qual é o preço deste prato? *cuarl eh oo praysoo desht prartoo?*

4.3 The bill

See also 8.2 Settling the bill

Could I have the bill, ___ please?	A conta, se faz favor *ah conta suh faj favvor*
All together _____	Tudo junto *toodoo joontoo*
Everyone pays _____ separately	Cada um paga a sua parte *carda oom parga ah sooah part*
Could we have the ____ menu again, please?	Podemos ver a ementa novamente? *podaymoosh vair ah ementa novvament?*
The...is not on the bill __	O/A...não está na conta *ah/oo...now eshtah nah conta*

4.4 Complaints

It's taking a very _____ long time	Está a demorar muito tempo *eshtah ah demorar mweentoo tempoo*
We've been here an ____ hour already	Já aqui estamos há uma hora *jah akee eshtamoosh ah ooma ora*
This must be a mistake _	Isto deve ser engano *ishtoo dev sair engarnoo*
This is not what I _____ ordered	Isto não é o que pedi *ishtoo now eh oo que peddee*
I ordered... _____	Pedi um/uma ... *peddee oom/ooma...*

There's a dish missing___	Falta um prato
	falta oom prartoo
This is broken/not ____ clean	Isto está partido/sujo
	ishtoo eshtah parteedoo/soojoo
The food's cold_____	A comida está fria
	ah comeeda eshtah freea
– not fresh _____	A comida não é fresca
	ah comeeda now eh freshca
– too salty/sweet/spicy _	A comida está salgada/doce/ condimentada
	ah comeeda eshtah salgarda/doess/ condimentarda
The meat's not done ___	A carne está crua
	ah carn eshtah crooa
– overdone _____	A carne está cozida demais
	a carn eshtah coozeeda demysh
– tough_____	A carne está dura
	a carn eh reeja
– off_____	A carne está estragada
	a carn eshtah shtragarda
Could I have _____ something else instead of this?	Podia trazer me outra coisa em vez disto?
	poodia trazair muh ohtra coyza aim vej deeshtoo?
The bill/this amount is__ not right	A conta/o total não está certa(o)
	ah conta/oo tootal now eshtah sairta(oo)
We didn't have this ____	Isto não nos foi servido
	eeshtoo now nooj foi serveedoo
There's no paper in the _ toilet	Não há papel higiénico na casa de banho
	now ah papell hijenneecoo nah carza duh bahnyoo
Do you have a _____ complaints book?	Tem um livro de reclamações?
	taim oom leevroo duh reclammasoynsh?
Will you call the _____ manager, please?	Podia chamar o gerente, se faz favor?
	poodia shammar oo jerent, suh faj favvor?

4.5 Paying a compliment

That was a wonderful __ meal	Comemos muito bem _comaymoosh mweentoo baim_
The food was excellent_	A comida estava excelente _ah comeeda eshtarva eshsellent_
The...in particular was__ delicious	Principalmente o/a...estava excelente _preencipallment oo/ah...eshtarva eshcellent_

4.6 The menu

aperitivos
appetisers

aves
poultry

bebidas alcoólicas
alcoholic beverages

bebidas quentes
hot beverages

caça
game

cocktails
cocktails

entradas
(quentes/frias)
hot/cold starters

especialidades
(regionais)
(regional) specialities

legumes
vegetables

lista dos vinhos
the wine list

marisco
shellfish

pastelaria/doces
confectionery/
 desserts

salgados
savouries

prato do dia
dish of the day

prato principal
main course

pratos de
 carne
meat courses

pratos frios
cold dishes

pratos quentes
hot dishes

queijo
cheese

refrescos
cold drinks

serviço incluído
service included

sobremesas
sweets

sopas
soups

4.7 Alphabetical list of drinks and dishes

açorda/camaróes à milanesa com alho
prawns with garlic and breadcrumbs

açúcar
sugar

agua mineral sem/com gás
sparkling/still mineral water

aguardente
brandy

alcachofra
artichoke

alcaparras
capers

alface
lettuce

alho
garlic

alho francês
leek

almôndegas
meatballs

amêijoas
clams

ameixas
plums

ameixas secas
prunes

amêndoas
almonds

ananás
pineapple

anchova
anchovy

aniz
aniseed

aperitivos
aperitives

arroz
rice

assado
roast

atum
tuna

avelã
hazelnut

azeitonas
olives

bacalhão
cod (dried)

banana
banana

batatas fritas
chips

batatas
potatoes

batido de...
...milkshake

bebidas alcoólicas
alcoholic beverages

bebidas frescas/quentes
cool/hot drinks

beringela
aubergine

bica
coffee - expresso

bife
steak

bife do lombo
sirloin steak

bolachas
biscuits

bolo
bun

bolo de chocolate
chocolate bun

cabrito
kid

café (com leite)
coffee (white)

caldeirada
stew

camarões grandes
prawns

camarões
shrimps

canja
broth

caracóis
snails

caranguejo
crab

carioca
coffee - weak,
  without milk
carne
meat
carne de porco
pork
carne picada
ground beef
castanhas
chestnuts
cebola
onion
cebolinha
shallot
cenouras
carrots
cerejas
cherries
cerveja
beer
chá
tea
chantilly
cream(whipped)
chouriço
smoked preserved
  sausage
cocktails
cocktails
codorniz
quail
coelho
rabbit
cogumelos
mushrooms

costeleta
cutlet
costeleta de
  porco
pork chop
couve
cabbage
couve-flor
cauliflower
cozido
stew
cravinho
clove
crepes
crepes
croquetes
  (de carne)
croquettes (meat)
cru
raw
talheres
cutlery
dobrada
tripe
doce
sweet
entradas
starters
ervas
herbs
ervilhas
peas
espargos
asparagus
esparguete
spaghetti

especialidades da
  região
regional specialities
especiarias
spices
espinafre
spinach
farinha
flour
favas
broad beans
feijão branco/
  encarnado/frade/
  verde
beans: haricot/
  kidney/green
fiambre
ham
fígado
liver
figo
fig
filé
fillet steak
filete
fillet
filé de vitela
fillet of veal
framboesas
raspberries
frango
chicken
frango no churrasco
barbecued chicken
frito
fried

fruta (da época)
fruit (of the
  season)
frutos do mar
seafood
fumado
smoked
galão
coffee – large white
gaspacho
chilled soup (tomato
  and cucumber)
gelado
ice cream
gelo
ice
grão
chick pea
grelhado
grilled
groselhas
red currents
guisado
stew
imperial
draught beer
iogurte
yogurt
língua-de-vaca
tongue
lagosta
lobster
lagostim
crayfish
laranjas
oranges

legumes
vegetables
leite gordo/meio
  magro/magro
milk – full cream/
  semi skimmed/
  skimmed
lentilhas
lentils
licor
liqueur
limão
lemon
limonada
lemonade
linguado
sole
lista de vinho
wine list
lombo de porco
loin of pork
lombo de vaca
sirloin steak
lulas
squid
maçã
apple
mal passado
  (bife)
rare (beef)
manteiga
butter
maracujá
passion fruit
margarina
margerine

mariscos
shellfish
marmelada
jam
melão
melon
mexilhões
mussels
milho
sweetcorn
miolos
sweetbreads
morangos
strawberries
morcela
black pudding
mostarda
mustard
mousse de
  chocolate
chocolate mousse
nata
cream
nozes
nuts
omeleta
omelette
ostras
oysters
ovo quente/cozido/
  estrelado/escalofad
  o/ mexido
egg – soft/hard/fried/
  poached/scrambled
pão
bread

pãozinho
roll

pêra
pear

pêssego
peach

paio
smoked sausage

panqueque
pancake

pargo
sea bream

passas
raisins

pastel de nata
small custard tart

pastelaria
pastry

pato
duck

peito
breast

peixe
fish

peixe frito
(carapau)
small fried fish similar
to whitebait

peixe espada
swordfish

pepino
cucumber

perdiz
partridge

perna de borrego
leg of lamb

perú
turkey

pescada
whiting

pimenta
pepper (condiment)

pimento
green/red pepper

pizza
pizza

polvo
octopus

prato do dia
dish of the day

prato frio/quente
cold/hot course

prato principal
main course

presunto
parma ham

pudim
pudding

pudim flan
crème caramel

queijo
cheese

rabanete
radish

recheado
filled, stuffed

rissol
rissole

robalo
sea bass

rodovalho
turbot

rosbife
roast beef

sal
salt

salada
salad

salada russa
salad with
mayonnaise

salgadinhos
savoury snacks

salgado/doce
savoury/sweet

salmão
salmon

salmão fumado
smoked salmon

salmonete
red mullet

salsa
parsley

sandes
sandwich

sardinhas
sardines

seco
dry

serviço (não)
incluído
service (not) included

sobremesa
dessert

sopa
soup

sopa de cebola
onion soup

61

sopa de feijão
bean soup
sumo de fruta
fruit juice
sumo de
  laranja
orange juice
sumo de limão
lemon juice
tâmara
fig
tamboril
monk fish
tarte de maçã
apple tart
tomate
tomato
tomilho
thyme
torrada
toast
tosta mista
toasted cheese and
  ham sandwich
toucinho
bacon
truta
trout
truta salmoneja
salmon trout
uvas
grapes
vitela
veal
veado
venison

vinagre
vinegar
vinho branco
white wine
vinho rosé
rosé wine
vinho tinto
red wine
xerez
sherry

5 On the road

5.1 Asking for directions

Excuse me, could I ask you something?	**Desculpe, posso-lhe fazer uma pergunta?** *deshcoolp possoo lher fazair ooma pergoonta?*
I've lost my way	**Perdi-me** *perdee muh*
Is there a... around here?	**Conhece um...perto daqui?** *coonyes oom...pairtoo dakee?*
Is this the way to...?	**É este o caminho para...?** *eh esht oo cameenyoo parra...?*
Could you tell me how to get to the... (name of place) by car/on foot?	**Poderia dizer-me como devo fazer para ir para...a pé/de carro?** *pooderia dizair muh como dayvoo fazair parra eer parra...ah peh/duh cahroo?*
What's the quickest way to...?	**Como é que chego o mais depressa possível a...?** *como eh kuh chaygoo oo mysh depressa posseevel ah...?*
How many kilometres is it to...?	**Quantos quilómetros faltam ainda para chegar a...?** *cuarntoosh keelometroosh faltam ayeenda parra sheggar ah...?*
Could you point it out on the map?	**Poderia indicar-me aqui no mapa?** *pooderiah eendiccar muh akee noo mappa?*

Não sei, não conheço isto aqui	I don't know, I don't know my way around here
Está enganado	You're going the wrong way
Tem de voltar a...	You have to go back to...
Aí as placas indicam-lhe o caminho a seguir	From there on just follow the signs
Aí deve perguntar de novo	When you get there, ask again

em frente	cruzamento	passagem de nível;
straight ahead	intersection	cancelas
à esquerda	estrada	level crossing
left	street	placa indicando o
à direita	semáforo	caminho à...
right	traffic light	sign pointing to...
cortar	placa de trânsito	ponte
turn	`cruzamento com	bridge
seguir	prioridade'	seta
follow	`give way' sign	arrow
atravessar	rio	
cross	river	

5.2 Customs

● **Documents:** along with your passport you must carry your original documents with you. These include your valid full driving licence (together with paper counterpart if photocard licence), vehicle registration document and motor insurance certificate. Contact your motor insurer for advice at least a month before taking your vehicle overseas to ensure that you are adequately covered.

You may be asked to produce your documents at any time so, to avoid a police fine and/or confiscation of your vehicle, be sure that they are in order and readily available for inspection. It is a legal requirement that everyone carries photographic proof of identity at all times.

It is compulsory to carry a warning triangle in Portugal. Reflective jackets/waiscoats must be carried in the passenger compartment of the vehicle, not the boot (see page 70). A fire extinguisher and first-aid kit are recommended.

O seu passaporte, se faz favor	Your passport, please
O livrete, se faz favor	Your vehicle documents, please
O seu visto, se faz favor	Your visa, please
Para onde vai?	Where are you heading?
Quanto tempo pensa ficar?	How long are you planning to stay?
Tem alguma coisa a declarar?	Do you have anything to declare?
Pode abrir isto?	Open this, please

My children are _____ entered on this passport	Os meus filhos estão inscritos neste passaporte
oosh mayoosh feelyoosh eshtau eenshcreetoosh nest passaport
I'm travelling through___	Estou de passagem
eshtoe duh passarjaim
I'm going on holiday ___ to...	Vou de férias para...
voe duh ferriash parra...
I'm on a business trip __	Estou em viagem de negócios
eshtoe aim veearjaim duh neggossioosh
I don't know how long _ I'll be staying yet	Ainda não sei quanto tempo fico
ayeenda now say cuarntoo tempoo feecoo
I'll be staying here for __ a weekend	Fico aqui um fim-de-semana
feecoo akee oom feem duh semarna
– for a few days _____	Fico aqui uns dias
feecoo akee unsh deeash
– for a week _____	Fico aqui uma semana
feecoo akee ooma semarna
– for two weeks _____	Fico aqui duas semanas
feecoo akee dooash semarnash
I've got nothing to _____ declare	Não tenho nada a declarar
now tenyoo narda a declarar

I've got...with me _____	Trago comigo...
	trargoo comeegoo...
– ...cartons of _____ cigarettes	Trago comigo um pacote de cigarros
	trargoo comeegoo oom pacott de sigaroosh
– ...bottles of... _____	Trago comigo uma garrafa de...
	trargoo comeegoo ooma garrafa duh...
– some souvenirs _____	Trago comigo algumas lembranças
	trargoo comeegoo algoomash lembransash
These are personal ___ effects	Estas são coisas pessoais
	eshtash sow coyzash pessooaish
These are not new _____	Estas coisas não são novas
	eshtash coyzash now sow novash
Here's the receipt_____	Aqui está o recibo
	akee eshtah oo receeboo
This is for private use __	Isto é para uso pessoal
	eeshtoo eh parra oozoo pessooarl
How much import duty _ do I have to pay?	Quanto tenho de pagar de direitos?
	cuarntoo tenyoo duh pagar duh diraytoosh?
Can I go now? _____	Posso ir agora?
	possoo eer agoora?

5.3 Luggage

Porter! _____	Bagageiro!/Carregador!
	bagajayroo!/carreggadoor!
Could you take this ____ luggage to...?	Podia levar esta bagagem para..., se faz favor?
	poodia levvar eshtah bagarjaim parra..., suh faj favvor?
How much do I_____ owe you?	Quanto lhe devo?
	cuarntoo lyer dayvoo?
Where can I find a _____ luggage trolley?	Onde estão os carrinhos para a bagagem?
	onde eshtau oosh careenyoosh parra ah bagarjaim?
Could you store this ___ luggage for me?	Posso colocor esta bagagem no depósito?
	possoo coloocar eshta bagarjaim noo deposittoo?
Where are the _____ luggage lockers?	Onde estão os cofres para bagagem?
	ond eshtau oosh coffresh parra bagarjaim?
I can't get the locker ___ open	Não consigo abrir este cofre
	nau conseegoo abreer esht coffre
How much is it per ____ item per day?	Quanto custa um volume por dia?
	cuarntoo cooshta oom voloom por deah?
This is not my bag/ ____ suitcase	Isto não é o meu saco/a minha mala
	eeshtoo now eh oo mayoo sarcoo/ah meenya mala
There's one item/bag/ __ suitcase missing still	Ainda falta um volume/um saco/uma mala
	ayeenda falta oom voloom/oom sarcoo/ooma mala
My suitcase is _____ damaged	A minha mala está danificada
	ah meenya mala eshtah daneefeecarda

5.4 Traffic signs

aberto
open

animais cruzando
animals crossing

auto-estrada (com
 portagem)
motorway (with tolls)

bermas baixas
low hard-shoulder

bifurcação
road fork

centro da cidade
city centre

circule pela direita
keep right

circule pela esquerda
keep left

cruzamento
 perigoso
dangerous
 crossroads

cuidado
caution

curva a...quilómetros
road bends in...
 kilometres

curva perigosa
dangerous
 bend

dê passegem
give way

desvio
diversion

devagar
slow down

espere
wait

estacionamento
parking

estacionamento
 proibido
no parking

estrada em mau
 estado
irregular road
 surface

estrada
 interrompida
no through road

estrada nacional
main road

excepto
except

fechado
closed

fim de...
end of...

fim de obras
end of
 roadworks

gelo
ice on road

neve
snow

nevoeiro
fog

obras
road works

passagem de nivel
 (sem guarda)
level crossing
 (unmanned)

perigo
danger

portagem
toll

posto de primeiros
 socorros
First Aid Post

saída
exit

sentido único
one-way street

vedado ao trânsito
road closed

veículos pesados
heavy vehicles

velocidade máxima
maximum speed

via de acesso
access only

5.5 The car

● Particular traffic regulations:
– maximum speed for cars:
  120km/h on motorways
  90km/h or 100km/h outside built-up areas
  50km/h in built-up areas
– give way: traffic on the main road has priority but at intersections
of equal priority traffic from the right has priority

It is compulsory for the driver and/or passenger(s) to wear a
reflective jacket/waistcoat when exiting a vehicle which is
immobilised on the carriageway of all motorways and main or busy
roads. Jackets must be carried in the passenger compartment of the
vehicle, not the boot.

5.6 The petrol station

● **Petrol is** more expensive in Portugal than in many other countries.
Portugal has a good network of motorway service stations and filling
stations, most of which accept payment by credit card.

How many kilometres to the next petrol station, please?	Quantos quilómetros faltam para a próxima bomba de gasolina? *cuarntoosh keelometroosh faltam parra ah prossima bomba de gasooleena?*
I would like...litres of...,	Quero...litros de... *kairoo...leetroosh duh...*
– super petrol	Quero...litros de gasolina super *kairoo...leeroosh duh gazooleena super*
– leaded petrol	Quero...litros de gasolina normal *kairoo...leetroosh duh gazooleena normal*

– unleaded petrol	Quero...litros de gasolina sem chumbo
	kairoo...leetroosh duh gazoleena saim shoomboo
– diesel	Quero...litros de gasóleo
	kairoo...leetroosh duh gazollio
I would like...euros' worth of..., please	Quero...euros de..., se faz favor
	kairoo...euros duh..., suh faj favvor
Fill her up, please	Encha se faz favor
	encha suh faj favvor
Could you check...?	Não se importava de ver...?
	now se importarva duh vair...?
– the oil level	Não se importava de ver o nível do óleo?
	now se importarva duh vair oo neevel doo ollio?
– the tyre pressure	Não se importava de ver a pressão dos pneus?
	now se importarva duh vair ah pressow doosh penayoosh?
Could you change the oil, please?	Podia mudar o óleo?
	poodia moodar oo ollio?
Could you clean the windows/the windscreen, please?	Podia limpar os vidros/o pára-brisas?
	poodia leempar oosh vidroosh/oo parra-breezash?
Could you give the car a wash, please?	Podia dar uma lavagem ao carro?
	poodia dar ooma lavarjaim ow cahroo?

The parts of a car

battery	bateria	batteria
rear light	luz da retaguarda	looj da rettagwarda
rear-view mirror	espelho retrovisor	eshpelyoo retrooveesor
reversing light	farol de marcha atrás	farol duh marcha atraj
aerial	antena	antenna
car radio	rádio	rahdioo
petrol tank	depósito de gasolina	depozitoo duh gazooleena
sparking plugs	velas	vellash
fuel filter/pump	filtro/bomba de gasolina	feeltroo/bomba duh gazooleena
wing mirror	espelho exterior	eshpelyoo eshterrior
bumper	pára-choques	para shocksh
carburettor	carburador	carbooradoor
crankcase	cárter	cartair
cylinder	cilindro	seeleendroo
ignition	platinados	platteenardoosh
warning light	luz de controle	l ooj duh controal
dynamo	dínamo	deenamoo
accelerator	acelerador	asselleradoor
handbrake	travão de mão	travow duh mau
valve	válvula	vallvoola
silencer	silenciador	seelenciadoor
boot	mala	marla
headlight	farol da frente	faroll da frent
crank shaft	eixo da manivela	ayshoo da manivela
air filter	filtro do ar	feeltroo doo ar
fog lamp	faróis de nevoeiro	faroysh duh nevooayroo
engine block	motor	mottor

camshaft	árvore de cames	arvora duh camesh
oil filter/pump	filtro/bomba do óleo	feeltroo/bomba doo ollio
dipstick	vareta	varetta
pedal	pedal	pedarl
door	porta	porta
radiator	radiador	raddiadoor
brake disc	disco do travão	deeshcoo doo travow
spare wheel	roda sobresselente	rodda sobresallent
indicator	pisca-pisca	peeshca-peeshca
windscreen wiper	limpa pára-brisas	leempa parra-breezash
shock absorbers	pára-choques	parra shocksh
sunroof	janela do tejadilho	janella doo taijadeelhoo
spoiler	spoiler	spoiler
starter motor	motor de arranque	motor di arrank
steering column	caixa de direccão	caisha duh deeresow
exhaust pipe	tubo de escape	tooboo duh eshcape
seat belt	cinto de segurança	seentoo duh seguransa
fan	ventoinha	ventooeenya
distributor cables	cabos conductores	carboosh condootoresh
gear lever	alavanca das mudanças	alavanca dash moodansash
windscreen	pára-brisas	parra breezash
water pump	bomba de água	bomba de agwa
wheel	roda	rodda
hubcap	tampo de roda	tampoo duh rodda
piston	êmbolo	aimboloo

5.7 Breakdown and repairs

I'm having car trouble. Could you give me a hand?	Tenho uma avaria. Poderia ajudar-me? *tenyoo ooma avveriah. pooderia ajoodar-muh?*
I've run out of petrol	Estou sem gasolina *eshtoe saim gazoleena*
I've locked the keys in the car	Deixei as chaves dentro do carro *dayshay ash sharvesh dentroo doo cahroo*
The car/motorbike/moped won't start	O carro/a mota/a motorizada não arranca *oo cahroo/ah motta/ah motoreezarda now aranca*
Could you contact the rescue service for me, please?	Poderia avisar o pronto socorro da ACP? *pooderia aveezar oo prontoo socoroo da ey say pay?*
Could you call a garage for me, please?	Poderia telefonar para uma oficina? *pooderia telefonar parra ooma offeeseena?*
Could you give me a lift to...?	Posso ir consigo até a...? *possoo eer conseegoo atay ah...?*
– a garage/into town?	Posso ir consigo até a uma oficina/à cidade? *possoo eer conseegoo atay ooma offiseena/ah sidarda?*
– a phone booth?	Posso ir consigo até a uma cabine telefónica? *Possoo eer conseegoo atay ooma cabeen telefonica?*
– an emergency phone?	Posso ir consigo até a um telefone de urgência? *possoo eer conseegoo atay ah oom telefon duh urgencia?*
Can we take my bicycle/moped?	Posso levar também a minha bicicleta/motorizada? *possoo levar tambaim ah meenya beeceecleta/motoreezarda?*

Não tenho peças para o seu carro/a sua bicicleta	I don't have parts for your car/bicycle
Tenho de ir buscar as peças em outro lugar	I have to get the parts from somewhere else
Tenho de encomendar as peças	I have to order the parts
Isto leva meio-dia	That'll take half a day
Isto dura um dia	That'll take a day
Isto dura uns dias	That'll take a few days
Isto dura uma semana	That'll take a week
O seu carro vai para a sucata	Your car is a write-off
Já não há nada a fazer	It can't be repaired.
O carro/a mota/a motorizada está pronto/pronta às...horas	The car/motor bike/moped/bicycle will be ready at... o'clock.

Could you tow me to___ a garage?	**Poderia rebocar-me até a uma garagem?** *pooderia reboocar-muh atay ooma gararjaim?*
There's probably_____ something wrong with... (See 5.5, 5.8)	**Creio que há algum problema com...** *crayoo kuh ha algoom prooblema com...*
Can you fix it? _____	**Poderia consertar isso?** *pooderia consertar eesoo?*
Could you fix my tyre? _	**Poderia consertar-me o pneu?** *pooderia consertar-muh oo punayoo?*
Could you change this _ wheel?	**Poderia mudar esta roda?** *pooderia moodar eshta rodda?*
Can you fix it so it'll____ get me to...?	**Poderia arranjar isto de maneira que possa seguir até...** *pooderia arranjar eeshtoo duh manayra kuh possoo segear atay...*
Which garage can _____ help me?	**Que oficina poderá me ajudar?** *kay offiseena poodera muh ajoodar?*

The parts of a bicycle

rear lamp	luz da retaguarda	*ooj da retagwarda*
rear wheel	pneu de trás	*penayoo duh traj*
(luggage) carrier	porta bagagem	*porta bagarjaim*
bicycle fork	caixa de esferas	*caysha di eshfairash*
bell	campainha	*campyeenya*
inner tube	câmara de ar	*camera di ar*
tyre	pneu	*penayoo*
crank	crenque	*crenk*
gear change	alavanca das velocidades	*alavanca dash velocidardesh*
wire	fio	*feeoo*
dynamo	dínamo	*deenamoo*
bicycle trailer	atrelado para bicicleta	*atrellardoo parra beeceeclayta*
frame	quadro	*cuardroo*
dress guard	protector (de vestuário)	*prootetor (duh veshtooaryoo)*
chain	corrente	*coorent*
chain guard	caixa de corrente	*caisha duh coorent*
chain lock	cadeado de corrente	*caddayardoo duh coorent*
milometer	conta quilometros	*conta keelometroosh*
child's seat	cadeira para criança	*caddayra parra criansa*
headlamp	farol	*faroll*
bulb	lâmpada	*lamperdah*
pedal	pedal	*pedarl*
pump	bomba	*bomba*
reflector	reflector	*reflettor*
break pad	bloco de travão	*blocoo duh travow*
brake cable	cabo de travão	*carboo duh travow*

ring lock	cadeado de algema	*cadeeardoo duh aljayma*
carrier straps	elásticos de porta bagagem	*lashteecoosh duh porta bagarjaim*
tachometer	velocimetro	*velossimetroo*
spoke	raio	*rayoo*
mudguard	guarda-lamas	*gwarda lamash*
handlebar	guiador	*guiadoor*
chain wheel	roda de lentes	*rodda duh lentesh*
toe clip	gancho	*ganshoo*
crank axle	eixo de pedal	*aischoo duh pedarl*
drum brake	jante	*jant*
valve	pipo de válvula	*peepoo duh valvoola*
valve tube	pipo de borracha	*peepoo duh borrasha*
gear cable	cabo de velocidades/de engrenagem	*carboo duh velossidardesh/duh engrenarjaim*
fork	forqueta	*forketta*
front wheel	roda de frente	*rodda duh frent*
seat	selim	*selleem*

When will my car/ _____ bicycle be ready?	Quando o meu carro/a minha bicicleta fica pronto/pronta?
	cuarndoo oo mayoo cahroo/ah meenya beeseeclaytah feeca prontoo/pronta?
Can I wait for it here? __	Posso esperar aqui?
	possoo eshpairar akee?
How much will it cost? _	Quanto é que vai custar?
	cuarntoo eh kuh vy cooshtar?
Could you itemise _____ the bill?	Poderia especificar a factura?
	pooderia eshpeceefeecar ah fatoora?
Can I have a receipt ___ for the insurance?	Pode dar-me um recibo para a companhia de seguros?
	pod dar muh oom receeboo parra ah companyeea duh segooroosh?

5.8 The bicycle/moped

● **Cycling/riding mopeds** on the roads can be dangerous in Portugal as riders are largely disregarded by motorists, but there are some interesting off-road tracks (unmarked). Rented cycles are few and far between so it is advisable for visitors to bring their own – and a crash helmet.

5.9 Renting a vehicle

I'd like to rent a...	Eu gostaria de alugar um...
	eyoo goshtaria duh aloogar oom...
Do I need a (special) licence for that?	Preciso de ter uma carta de condução especial?
	preseezoo duh tair ooma carta duh condoosow eshpessial?
I'd like to rent the..., for...	Gostaria de alugar o...por...
	gostaria duh aloogar oo...por...
– one day	Gostaria de alugar o...por um dia
	gostaria duh aloogar oo...por oom deeah
– two days	Gostaria de alugar o...por dois dias
	gostaria duh aloogar oo...por doysh deeash
How much is that per day/week?	Quanto custa por dia/por semana?
	cuarntoo cooshta por deeah/por semarna?
How much is the deposit?	Quanto é o depósito?
	cuarntoo eh oo depozeetoo?
Could I have a receipt for the deposit?	Pode dar-me um recibo do depósito?
	pod dar muh oom resseeboo doo depozeetoo?
How much is the surcharge por kilometre?	Quanto tenho a pagar por cada quilómetro extra?
	cuarntoo tenyoo ah paggar por carda keelometroo estra?
Does that include petrol?	A gasolina está incluída?
	ah gazooleena eshtah eenclooeeda?
Does that include insurance?	O seguro está incluído?
	oo segooroo eshtah eenclooeedoo?
What time can I pick the up tomorrow?	A que horas posso passar amanhã para vir buscar o/a ...?
	ah kay orash possoo passar ahmarnyar parra veer booshcar oo/a ...?

When does the...have to be back?	Quando tenho de vir entregar o/a ...?
	cuarndoo tenyoo duh veer entreggar oo/a ...?
Where's the petrol tank?	Onde está o depósito?
	ond eshtah oo depozeetoo?
What sort of fuel does it take?	Que tipo de combustível consome?
	kuh teepoo duh combushteevel consom?

5.10 Hitchhiking

Where are you heading?	Para onde vai?
	parra ond vy?
Can I come along?	Posso ir consigo?
	possoo eer conseegoo?
Can my boyfriend/ girlfriend come too?	O meu amigo/a minha amiga também pode ir?
	oo mayoo ameegoo/ah meenya ameega tambaim pod eer?
I'm trying to get to...	Vou para...
	voe parra...
Is that on the way to...?	Fica em caminho à...?
	feeca aim cameenyoo ah...?
Could you drop me off...?	Poderia deixar-me em...?
	pooderia dayshar muh aim...?
– here?	Poderia deixar-me aqui?
	pooderia dayshar muh akee?
– at the...exit?	Poderia deixar-me quando se corta para...
	pooderia dayshar muh cuarndoo se corta parra...
– in the centre?	Poderia deixar-me no centro?
	pooderia dayshar muh noo centroo?
– at the next roundabout?	Poderia deixar-me na próxima rotunda?
	pooderia dayshar muh na prosseema rotoonda?

Could you stop here, ___ please?	**Importa-se de parar aqui, se faz favor?**
	importas duh parar akee suh faj favvor?
I'd like to get out here ___	**Gostaria de descer aqui**
	gostaria duh deshsair akee
Thanks for the lift _____	**Muito obrigado pela boleia**
	mueentoo obrigahdoo pella boolay

6.1 In general

● In addition to the rather sparse Portuguese rail network, there is a comprehensive long distance coach service with good connections between north Portugal and the Algarve and between most towns and cities. The Portuguese capital, Lisbon, is well-served by its bus network, taxis, river ferries, a small underground railway (undergoing expansion) and special lifts/funiculars for getting up and down the city's seven hills.

Announcements

O comboio para..., das 10:40 horas tem um atraso de 15 minutos	The 10:40 train to...has been delayed by 15 minutes
Na linha 5 vai chegar o comboio das 10:40 para.../de...	The train now arriving at platform 5 is the 10:40 train to.../from...
Da linha 5 vai sair o comboio das 10:40 para...	The 10:40 train to...is about to leave from platform 5
Estamos à chegar à estação...	We're now approaching... station

Where does this train __ go to?	Para onde vai este comboio? *parra ond vy esht comboyoo?*
Does this boat go _____ to...?	Este barco vai para...? *esht barcoo vy parra...?*
Can I take this bus _____ to...?	Posso tomar este autocarro para ir para...? *possoo toomar esht owtoocahroo parra eer parra...?*
Does this train_____ stop at...?	Este comboio pára em...? *esht comboyoo para aim...?*

Is this seat taken/free/__ reserved?	Este lugar está ocupado/livre/ reservado?
	esht loogar eshtar ocoopardoo/ leevre/rezairvardoo?
I've booked... _____	Reservei...
	reservay...
Could you tell me_____ where I have to get off for... ?	Pode dizer-me onde devo sair para...?
	pod deezair muh ond dayvoo sayeer parra...?
Could you let me _____ know when we get to...?	Podia avisar-me quando chegarmos a...?
	poodia aveezar-muh cuarndoo shegarmoosh ah...?
Could you stop at the __ next stop, please?	Podia parar na próxima paragem, se faz favor?
	poodia parrar nah prosseema pararjaim, suh faj favvor?
Where are we now?____	Onde estamos?
	ond eshtarmoosh?
Do I have to get off ____ here?	Tenho de sair aqui?
	tenyoo duh sayeer akee
Have we already_____ passed...?	Já passámos por...?
	jah passarmoosh por...
How long have I been __ asleep?	Quanto tempo é que dormi?
	cuarntoo tempoo eh kuh dormee?
How long does... _____ stop here?	Quanto tempo fica...aqui parado?
	cuarntoo tempoo feeca...akee parardoo?
Can I come back on ___ the same ticket?	Também posso voltar com este bilhete?
	tambaim possoo voltar com esht beelyet?
Can I change on this ___ ticket?	Posso mudar com este bilhete?
	possoo moodar com est beelyet?
How long is this ticket__ valid for?	Quanto tempo é que este bilhete é válido?
	cuarntoo tempoo eh kuh esht beelyet eh vallydoo?

6.2 Questions to passengers

Ticket types

Primeira ou segunda classe?	First or second class?
Só ida ou ida e volta?	Single or return?
Fumadores ou não?	Smoking or non-smoking?
Janela ou coxia?	Window or aisle?
A frente ou atrás?	Front or back?
Lugar sentado ou cama?	Seat or couchette?
Em cima, no meio ou em baixo?	Top, middle or bottom?
Turística ou primeira classe?	Tourist class or business class?
Camarote ou cadeira?	Cabin or seat?
Para pessoa só ou casal?	Single or double?
Quantas pessoas viajam?	How many are travelling?

Destination

Para onde deseja ir?	Where do you wish to go?
Quando deseja partir?	When do you wish to leave?
O seu...parte às...	Your...leaves at...
Tem de fazer transbordo	You have to change trains/ coaches
Tem de sair em...	You have to get off at...
Tem de fazer escala por...	You have to travel via...
A partida é no dia...	The outward journey is on...
O regresso é no dia...	The return journey is on...
Tem de estar a bordo das...no máximo	You have to be on board by...

Inside the train, coach, ship

O seu bilhete, se faz favor	Your ticket, please
A sua marcação, se faz favor	Your reservation, please
O seu passaporte, se faz favor	Your passport, please
Não está sentado no seu lugar	You're in the wrong seat
Está sentado no...errado	You're on/in the wrong...
Este lugar está reservado	This seat is reserved
Tem de pagar uma taxa	You'll have to pay a supplement
Tem um atraso de...minutos	There is a delay of... minutes

6.3 Tickets

Where can I...? _____	Onde é que posso...?
	onde eh kuh possoo...?
– buy a ticket? _____	Onde é que posso comprar um bilhete?
	onde eh kuh possoo comprar oom beelyet?
– make a reservation? __	Onde é que posso reservar um lugar?
	onde eh kuh possoo rezairvar oom loogar?
– book a flight? _____	Onde é que posso marcar um vôo?
	onde eh kuh possoo marcar oom voe?
Could I have a...to..., ___ please?	Queria um...para...?
	kerria oom...para...?
– a single _____	Queria um bilhete só de ida para...?
	kerria oom beelyet soh duh eeda parra...?
– a return _____	Queria um bilhete de ida e volta para...?
	kerria oom beelyet duh eeda e volta parra...?
first class _____	primeira classe
	preemayra clahs
second class _____	segunda classe
	segoonda clahs

tourist class_____	classe turística
	clahs tooreeshteeca
business class _____	classe de negócios
	clahs duh negossyoosh
I'd like to book a _____ seat/couchette/cabin	Queria reservar um lugar/uma cama/um camarote
	kerria rezairvar oom loogar/ooma camma/ oom cammarot
I'd like to book a berth _ in the sleeping car	Queria reservar um lugar na carruagem-cama
	kerria rezairvar oom loogar na carrooarjaim camma
top/middle/bottom_____	em cima/no meio/em baixo
	aim seema/noo mayoo/aim byshoo
smoking/no smoking___	fumadores/não fumadores
	foomadoresh/now foomadoresh
by the window _____	à janela
	ah janella
single/double _____	individual/duplo
	indeeveedual/dooploo
at the front/back_____	à frente/atrás
	ah frent/ah traj
There are...of us _____	Somos...pessoas
	somush...pessoash
a car _____	um carro
	oom cahroo
a caravan_____	uma roulotte
	ooma roolot
...bicycles_____	...bicicletas
	...beeseeclaytash
Do you also have...? ___	Também tem...?
	tambaim taim...?
– season tickets? _____	Também tem um bilhete para várias viagens?
	tambaim taim oom beelyet parra varriash veearjainsh?

– weekly tickets? _____   Também tem passe semanal?
tambaim taim pass semanal?

– monthly tickets? _____   Também tem um passe mensal?
tambaim taim oom pass mensal?

6.4 Information

Where...? _____   Onde...?
ond...?

Where's the _____   Onde são as informações?
information desk?   *ond sow ash eenformasoynsh?*

Where can I find a _____   Onde está o horário das
timetable?   partidas/chegadas?
*ond eshtah oo orareeoo dash
parteedash/sheggardash?*

Where's the...desk? ____   Onde é o guiché de...?
ond eh oo geeshay duh...?

Do you have a city ____   Tem uma planta da cidade com a rede
map with the bus/the   dos autocarros/do metropolitano?
underground routes on   *taim ooma planta dah sidarde com ah reyd*
it?   *dooz outoocahroosh/doo
metropooleetarnoo?*

Do you have a _____   Tem um horário?
timetable?   *taim oom oraryoo?*

I'd like to confirm/ ____   Queria confirmar/anular/alterar a
cancel/change my   marcação/viagem para...
booking for/trip to...   *kerria confeermar/anoolar/alterar ah
marcasow/veearjaim parra...*

Will I get my money ____   O dinheiro é devolvido?
back?   *oo deenyayroo eh devolveedoo?*

I want to go to..._____ How do I get there? (What's the quickest way there?)	Tenho de ir para...Qual é a viagem (mais rápida) para lá? *tenyoo duh eer parra...cuarl eh ah veearjaim (mysh rappida) parra la?*
How much is a _____ single/return ticket to...?	Quanto custa um bilhete de ida/ida e volta para...? *cuarntoo cooshta oom beelyet duh eeda e volta parra...?*
Do I have to pay a _____ supplement?	Tenho de pagar suplemento? *tenyoo duh paqqar sooplementoo?*
Can I interrupt my _____ journey with this ticket?	Com este bilhete, posso interromper a viagem? *com esht beelyet possoo eenterompair ah veearjaim?*
How much luggage ____ am I allowed?	Quantos quilos de bagagem posso levar? *cuarntoosh keeloosh duh bagarjaim possoo levar?*
Can I send my luggage_ in advance?	Posso enviar a minha bagagem com antecedência? *possoo enviar a meenya bagarjaim com antessidencia?*
Does this...travel _____ direct?	Este...é directo? *esht...eh deeretoo?*
Do I have to change? __ Where?	Tenho de fazer transbordo? Onde? *tenyoo duh fazair transhboordoo? ond?*
Will there be any _____ stopovers?	O avião faz escalas? *oo avvyiow faj eshcarlash?*
Does the boat call in at_ any ports on the way?	O navio pára em alguns portos? *oo naveeoo para aim algoonsh portoosh?*
Does the train/ _____ bus stop at...?	O comboio/camioneta pára em...? *oo comboyoo/camioonayta para aim...?*
Where should I get off?_	Onde é que devo sair? *ond eh kuh dayvoo syeer?*
Is there a connection____ to...?	Há ligação para...? *ah leegasow parra...?*
How long do I have to__ wait?	Quanto tempo tenho de esperar? *cuarntoo tempoo tenyoo duh eshperrar?*

When does...leave? ___	Quando é que parte...?
	cuarndoo eh kuh part...?
What time does the ___ first/next/last...leave?	A que horas é o primeiro/próximo/último...?
	ah kay orash eh oo preemayroo/prosseemoo/oolteemoo...?
How long does...take? _	Quanto tempo leva...?
	cuarntoo tempoo levva?
What time does...arrive_ in...?	A que horas chega...a...?
	ah kay orash shayga...ah...?
Where does the...to... __ leave from?	Donde parte o...para...?
	dond part oo...parra...?
Is this...to...? _____	É este...para...?
	eh esht...parra...?

6.5 Aeroplanes

● **At a Portuguese airport** (*aeroporto*), you will find the following signs:

chegadas	internacional
arrivals	international
partidas	alfândega
departures	customs
voos domésticos	
domestic flights	

6.6 Trains

● **The Portuguese rail network** is still being developed and upgraded, but there are fast services between the main cities of Lisbon and Oporto.

6.7 Taxis

● **Motered taxis** are available in all cities and large towns and are usually black and green. In the smaller towns, it is usual to agree a fixed price in advance as well as to check that the meter starts the journey at zero. A supplement is normally payable for luggage, a journey at night and on sundays or public holidays, but Portuguese taxis are generally cheaper than taxis in the rest of Europe.

livre	ocupado	praça de táxis
for hire	booked	taxi rank

Taxi! _____	Táxi! *tarksy!*
Could you get me a ___ taxi, please?	Podia chamar um táxi? *poodia shammar oom tarksy?*
Where can I find a taxi _ around here?	Onde é que posso apanhar um táxi, aqui perto? *ond eh kuh possoo apanyar oom tarksy akee pairtoo?*
Could you take me to..., please?	Podia levar-me para..., se faz favor? *poodia levah muh parra..., suh faj favvor?*
– this address _____	Podia levar-me para esta morada, se faz favor? *poodia levah muh parra eshta morrarda, suh faj favvor?*

– the...hotel _____	Podia levar-me para o hotel..., se faz favor?
	poodia levah muh parra oo ohtel..., suh faj favvor?
– the town/city centre __	Podia levar-me para o centro, se faz favor?
	poodia levah muh parra oo sentroo, suh faj favvor?
– the station _____	Podia levar-me para a estação, se faz favor?
	poodia levah muh parra ah eshtasow, suh faj favvor?
– the airport_____	Podia levar-me ao aeroporto se faz favor?
	poodia levah muh ow ayroopoortoo, suh faj favvor?
How much is the _____ trip to...?	Qual é o preço da viagem para...?
	cuarl eh oo praysoo dah veearjaim parra...?
How far is it to...?_____	Qual é a distância até...?
	cuarl eh ah deeshtarnsia atay...?
Could you turn on the __ meter, please?	Pode ligar o taxímetro, se faz favor?
	pod leegar oo tazkseemetroo, suh faj favvor?
I'm in a hurry_____	Estou com pressa
	eshtoe com pressa
Could you speed up/___ slow down a little?	Podia guiar mais depressa/mais devagar?
	poodia guiar mysh depressa/mysh deevagar?
Could you take a _____ different route?	Podia ir por outro caminho?
	poodia eer por ohtroo cameenyoo?
I'd like to get out here, _ please	Deixe-me ficar aqui, se faz favor
	daysh muh feecar akee, suh faj favvor
You have to go...here __	Tem de ir aqui...
	taim duh eer akee...

You have to go straight on here	Tem de ir aqui em frente *taim duh eer akee aim frent*
You have to turn left here	Tem de ir aqui à esquerda *taim duh eer akee ah eshkairda*
You have to turn right here	Tem de ir aqui à direita *taim duh eer akee ah dirayta*
This is it _____	É aqui *eh akee*
Could you wait a minute for me, please?	Podia esperar um momento? *poodia eshperar oom momentoo?*

7

Overnight accommodation

7.1 General

● **Hotels (hotels):** these are classified according to the standard of comfort offered and range from five star de luxe to simple one star, priced accordingly. The same applies to aparthotels and motels.
Pousadas: these are extremely well-appointed state-owned hotels located either in historic buildings or areas of particular natural beauty.
Estalagens: these are usually restored buildings similar to *pousadas* but privately owned and offering a good level of accommodation.
Habitacões de Turismo: these offer short-stay accommodation in large and beautiful private residences similar to stately homes. The owners are often present and the level of comfort varies.
Pensões, residências, albergarias: these are usually less expensive and offer a lesser degree of comfort than the other forms of accommodation. They are also classified and sometimes visitors to Portugal may fare better in a highly classified *residência* or *albergaria* than in a low rated hotel.
Camping: camping away from the one hundred or so designated camp sites is not usually allowed.
Albergos da juventude: there are very few youth hostels in Portugal. There is no upper age limit. Advance booking at peak times is advisable.

Quanto tempo quer ficar?	How long do you want to stay?
Preencha esta ficha, se faz favor	Fill out this form, please
Posso ver o seu passaporte?	Could I see your passport?
Tem de pagar um depósito	I'll need a deposit
Tem de pagar adiantado	You'll have to pay in advance

My name is... I've made a reservation (over the phone/by mail/by fax)	Chamo-me... Reservei um lugar/um quarto (pelo telefone/por escrito/por fax)
	shammoo muh...rezervay om loogar/oom cuartoo (pelloo telefon/poor eshcreetoo/poor fax)
How much is it per night/week/month?	Qual é o preço por noite/por semana/por mês?
	cuarl eh oo praysoo por noyt/por semarna/por mayge?
We'll be staying at least...nights/weeks	Ficamos pelo menos...noites/semanas
	feecarmoosh pello menoosh... noytsh/semarnash
We don't know yet	Ainda não sabemos precisamente
	ayeenda now sabbaymoosh preseezament
Do you allow pets (cats/dogs)?	É permitido trazer animais domésticos (cães/gatos)?
	eh pairmeeteedo trazair aneemysh doomeshteecoosh (caynsh/gartoosh)?
What time does the gate/door open/close?	A que horas abrem/fecham a cancela/a porta?
	ah kay orash abraim/feysham ah cancella/ah porta?
Could you get me a taxi, please?	Poderia mandar vir um táxi?
	pooderia mandar veer oom tacksy?
Is there any mail for me?	Há correio para mim?
	ah coorayoo parra meem?

7.2 Camping

Where's the manager?	Onde está o responsável?
	ond eshtah oo reshponsarvel?
Are we allowed to camp here?	Podemos acampar aqui?
	poodaymoosh acampar akee?

Pode escolher o seu lugar	You can pick your own site
Nós lhe indicamos um lugar	You'll be allocated a site
Este é o número do seu lugar	This is your site number
Importa-se de colar isto no seu carro?	Stick this on your car, please
Não perca este cartão	Please don't lose this card

There are...of us and we have...tents
Somos...pessoas e temos...tendas
somoosh...pessoash e taymoosh...tendash

Can we pick our _____ own site?
Nós próprios podemos escolher um lugar?
nosh propreeoosh poodaymoosh eshcoolyair oom loogar?

Do you have a quiet ___ spot for us?
Poderia dar-nos um lugar tranquilo?
pooderia dar noosh oom loogar trankeeloo?

Do you have any other _ pitches available?
Não tem um outro lugar livre?
now taim oom ohtroo loogar leevre?

It's too windy/sunny/___ shady here.
Aqui há muito vento/sol/muita sombra
akee ah mweentoo ventoo/sol/mweenta sombra

It's very crowded here__
Há muita gente
ah mweenta jent

The ground's too _____ hard/uneven
O chão aqui é muito duro/desigual
oo shau akee eh mueentoo dooroo/deseeguarl

Do you have a level ____ spot for the camper/ caravan/folding caravan?
Poderia arranjar um lugar plano para o reboque/a rulote/o trailer?
pooderia arranjar oom loogar plarnoo parra oo rabok/a roolot/oo trailer?

Could we have _____ adjoining pitches?
Podemos ficar juntos?
poodaymoosh feecar joontoosh?

Can we park the car next to the tent?	Pode-se estacionar o carro perto da tenda?
	pod suh eshtasionar oo cahroo pairtoo da tenda?
How much is it per person/tent/caravan/car?	Quanto custa por pessoa/tenda/rulote/carro?
	cuarntoo cooshta por pessoah/tenda/roolot/cahroo?
Are there any...?	Há...?
	ah...?
– hot showers?	Há duches com água quente?
	ah dooshesh com agwa kent?
– washing machines?	Há máquinas de lavar?
	ah markeenash duh lavar?
Is there a...on the site?	Há neste parque um...?
	ah nesht park oom...?
Is there a children's play area on the site?	Há neste parque um jardim infantil?
	ah nesht park oom jardeem eenfanteel?
Are there covered cooking facilities on the site?	Há neste parque um lugar coberto para cozinhar?
	ah nesht park oom loogar coobairtoo parra coozeenyar?
Can I rent a safe here?	Posso alugar um cofre?
	possoo alloogar oom cofre?
Are we allowed to barbecue here?	Pode-se fazer churrasco aqui?
	pod suh fazair choorashcoo akee?
Are there any power points?	Há tomadas de corrente eléctrica?
	ha toomardash duh corrent eeletreeca?
Is there drinking water?	Há água potável?
	ah agwa pootarvel?
When's the rubbish collected?	Quando recolhem o lixo?
	cuarndoo recolyaim oo leeshoo?
Do you sell gas bottles (butane gas/propane gas)?	Vende garrafas de gás (butagás/gás propano)?
	vende garrafash duh gaj (bootagaj/gaj prooparnoo)?

7.3 Hotel/B&B/apartment/holiday house

Do you have a _____ single/double room available?	Tem um quarto simples/de casal livre? *taim oom cuartoo seemplesh/duh cazal leevre?*
How much is it per ____ person/per room?	Qual é o preço por pessoa/por quarto? *cuarl eh oo praysoo por pessoa/por cuartoo?*
Does that include _____ breakfast/lunch/ dinner?	Já está incluído pequeno almoço/almoço/jantar? *jah eshtah eenclooeedoo peekaynoo almohsoo/almohsoo/jantar?*
Could we have two ____ adjoining rooms?	Pode arranjar dois quartos juntos? *pod arranjar doysh cuartoosh joontoosh?*
I'd like a room with/____ without toilet/bath/ shower	Queria um cuarto com/sem casa de banho/banheira/duche individual *kerria oom cuartoo com/saim carza duh barnyoo/banyayra/doosh eendeeveedual*
I'd like a room_____ (not) facing the street	Queria um cuarto (não) para o lado da rua *kerria oom cuartoo (now) parra oo lardoo da rooah*
I'd like a room with/____ without a view of the sea	Queria um cuarto com/sem vista para o mar *kerria oom cuartoo com/saim veeshta parra oo mar*

Os lavabos e o duche ficam no mesmo andar/no seu quarto	You can find the toilet and shower on the same floor/in your room
Por este lado	This way
O seu quarto é no...andar	Your room is on the...floor
O número é...	It's number is...

Camping equipment

luggage space	parte resguardo para a bagagem	*part reshgwardoo parra ah bagarjaim*
can opener	abre-latas	*abre lartash*
butane gas bottle	garrafa de gás	*garrafa duh gaj*
pannier	saco para bicicleta	*sarcoo parra beeceeclayta*
primus stove	fogão de campismo	*foogow duh campeejmoo*
groundsheet	oleado	*olliardoo*
mallet	martelo	*martelloo*
hammock	rede	*reyd*
jerry can	jerrican	*gerrican*
campfire	fogueira	*foogayra*
folding chair	cadeira dobrável	*cadayra doobrarvel*
insulated picnic box	geladeira	*geladayra*
ice pack	almofadas de geladeira	*almoofardash duh geladayra*
compass	bússola	*boosolla*
wick	camisa	*cameeza*
corkscrew	saca-rolhas	*saca rolyash*
airbed	cama inflável	*carma eenflarvel*
airbed plug	pipo	*peepoo*
pump	bomba de ar	*bomba di ar*

Is there...in the hotel?	O hotel tem... *o ohtel taim...*
Is there a lift in the hotel?	O hotel tem elevador? *oo ohtel taim eelevadoor?*
Do you have room service?	O hotel tem serviço de quarto? *oo ohtel taim serveesoo duh cuartoo?*
Could I see the room?	Posso ver o quarto? *possoo vair oo cuartoo?*
I'll take this room	Fico com este quarto *feecoo com esht cuartoo*

awning	toldo	*toldoo*
karimat	tapete	*tappett*
pan	panela	*panella*
pan handle	asa de panela	*arza duh panella*
zip	feixo	*fayshoo*
backpack	mochila	*mosheela*
guy rope	espia	*eshpeea*
sleeping bag	saco de dormir	*sacoo duh dormeer*
storm lantern	lanterna	*lantairna*
camp bed	cama de campismo	*carma duh*
table	mesa	*campeejmoo*
tent	tenda	*mayza*
tent peg	cavilha	*tenda*
tent pole	estaca da tenda	*caveelya*
vacuum flask	termos	*eshtarca da tenda*
water bottle	cantil	*termoosh*
clothes peg	mola da roupa	*canteel*
clothes line	arame	*molla da roepa*
windbreak	pára-vento	*ararm*
torch	lanterna de bolso	*parra ventoo*
pocket knife	canivete	*lantairna duh bolsoo*
		cannivet

We don't like this one __	Este não nos agrada
	esht now noos agrarda
Do you have a larger/ __ less expensive room?	Tem um quarto maior/mais barato?
	taim oom cuartoo myor/mysh barartoo?
Could you put in a cot?	Poderia pôr aqui uma cama de criança?
	pooderia poor akee ooma carma duh creeansa?
What time's breakfast? __	A que horas servem o pequeno almoço?
	ah kay orash servaim oo peekaynoo almohsoo?

Where's the dining room?	Onde é a sala de jantar?
	ond eh a sarla duh jantar?
Can I have breakfast ___ in my room?	Posso tomar o pequeno almoço no quarto?
	possoo toomar oo peekaynoo almohsoo noo cuartoo?
Where's the ___ emergency exit/fire escape?	Onde fica a saída de emergência/escada de incêndio?
	ond feeca ah sayeeda duh emergensia/eshcarda duh eensendeeoo?
Where can I park my ___ car (safely)?	Onde há um lugar (seguro) para estacionar o meu carro?
	ond ah oom loogar (segooroo) parra eshtassionar oo mayoo karoo?
The key to room..., ___ please	A chave do quarto..., se faz favor
	a sharv doo cuartoo..., suh faj favvor
Could I put this in ___ your safe, please?	Posso pôr isto no seu cofre?
	possoo poor eeshtoo noo sayoo cofre?
Could you wake me ___ at...tomorrow?	Poderia acordar-me amanhã às ...?
	pooderia acordar muh armanyar ash ...?
Could you find a ___ babysitter for me?	Poderia ajudar-me a arranjar uma pessoa para tomar conta do bébé?
	pooderiah ajoodar muh ah arranjar ooma pessoa parra toomar conta do baybay?
Can I have an extra ___ blanket?	Arranja-me um outro cobertor, se faz favor?
	arranj muh oom ohtroo coobertor, suh faj favvor?
What days do the ___ cleaners come in?	Em que dia fazem a limpeza?
	aim kuh deeah farzaim uh leempayza?
When are the sheets/ ___ towels/tea towels changed?	Quando é que são mudados os lençóis/as toalhas/os panos de cozinha?
	cuarndoo eh kuh sow moodardash oosh lensoysh/ash tooalyash/oosh parnoosh duh coozeenya?

7.4 Complaints

We can't sleep because of the noise	Não conseguimos dormir devido ao barulho *now consegeemoosh doormeer deveedoo ow baroolyoo*
Could you turn the_____ radio down, please?	Pode pôr o rádio um pouco mais baixo? *pod poor oo rardeeoo oom pohcoo maiz abyohoo?*
We're out of toilet _____ paper	Acabou-se o papel higiénico *acarboe suh oo papell eegenneecoo*
There isn't any.../there's not enough...	Não há.../não há...suficiente *now ah.../now ah...soofeecient*
The bed linen's dirty ___	A roupa de cama está suja *a roepa duh carma eshtah sooja*
The room hasn't been__ cleaned	O quarto não foi limpo *oo cuartoo now foy leempoo*
The kitchen is not _____ clean	A cozinha não foi limpa *a coozeenya now foy leempa*
The kitchen utensils ___ are dirty	Os utensílios de cozinha estão sujos *ooz ootenseelyoosh duh cozeenya eshtow soojoosh*
The heater's not _____ working	O aquecimento não funciona *oo akessimentoo now fooncyonna*
There's no (hot)_____ water/electricity	Não há água (quente)/electricidade *now ah agwa (kent)/eeletreecidard*
...is broken_____	...está estragado *...eshtah eshtragardoo*
Could you have that ___ seen to?	Poderia mandar arranjar? *pooderia mandar arranjar?*
Could I have another___ room/site?	Poderia arranjar um outro quarto/lugar para a tenda? *pooderia arranjar oom ohtroo cuartoo/loogar parra a tenda*
The bed creaks terribly _	A cama faz muito barulho *a cahma faj mweentoo baroolyoo*

The bed sags _____	A cama baixa muito no meio
	a cahma bysha mweentoo no mayoo
There are bugs/insects _	Há muitos bichos/insectos
	ah mweentoosh beeshoosh/eensectoosh
This place is full _____	Isto está cheio de mosquitos
of mosquitos	*eeshtoo eshtah shayoo duh moshkeetsch*
– cockroaches _____	Isto está cheio de baratas
	eeshtoo eshtah shayoo duh barattash

7.5 Departure

See also 8.2 Settling the bill

I'm leaving tomorrow. __ Could I settle my bill, please?	Saio amanhã. Posso pagar agora?
	sayoo armanyar. possoo paggar agoara?
What time should we___ vacate?	A que horas temos de deixar...?
	a kay orash taymoosh duh dayshar...?
Could I have my _____ deposit/passport back?	Pode devolver-me o depósito/o meu passaporte?
	pod devolvair muh oo deposeetoo/oo mayoo passaport?
We're in a terrible hurry_	Estamos com muita pressa
	eshtarmoosh com mueenta pressa
Could you forward _____ my mail to this address?	Poderia enviar-me o correio para esta morada?
	pooderia enviar muh oo corrayoo parra eshta morarda?
Could we leave our ____ luggage here until we leave?	Podemos deixar as malas aqui até irmos embora?
	poodaymoosh dayshar ash malash akee atay eermoosh emboora?
Thank you very much __ for your hospitality	Muito obrigado pela hospitalidade
	mweentoo obrigahdoo pella oshpeetalidade

8

Money matters

● **In general,** banks are open 8.30am – 3pm, Monday to Friday, but closing times may vary and smaller branches may close for lunch. The sign *câmbio* indicates that foreign currency may be exchanged and proof of identity, usually a passport, will be required. Hotels will usually change money but at less favourable rates. Portugal has a large network of cash machines outside the banks and by using a UK-issued PIN number, money changing is very quick and simple.

8.1 Banks

Where can I find a _____ bank/an exchange office around here?	Onde é que há um banco/uma casa de câmbio por aqui? *ond eh kuh ah oom bancoo/ooma carza duh cambyoo poor akee?*
Where can I cash this __ traveller's cheque/giro cheque?	Onde posso trocar este traveller cheque/cheque do correio? *ond possoo troocar esht traveller shek/shek doo coorayoo?*
Can I cash this...here? _	Posso trocar este...aqui? *possoo troocar esht...akee?*
Can I withdraw money _ on my credit card here?	Posso levantar dinheiro aqui com um cartão de crédito? *possoo levantar deenyayroo akee com oom cartow duh credeetoo?*
What's the minimum/ __ maximum amount?	Qual é o mínimo/máximo? *cuarl eh oo meeneemoo/masseemoo?*
Can I take out less_____ than that?	Também posso levantar menos? *tambaim possoo levantar menoosh?*
I've had some money __ transferred here. Has it arrived yet?	Pedi uma transferência telegráfica. Já chegou? *pedee ooma transhferensia telegraffeeca. Jah shegoe?*
These are the details___ of my bank in the UK	Estes são os dados do meu banco na Grã Bretanha *eshtesh sow oosh dardoosh doo mayoo bancoo nah grar bretarnya*

Money matters

This is my bank/giro ___ number	Este é o número da minha conta bancária/no correio
	esht eh oo noomeroo da meenya conta bancaria/noo coorayoo
I'd like to change _____ some money	Eu gostarià de trocar dinheiro
	eyoo goshtaria duh troocar deenyayroo
– pounds into..._____	Eu gostarià de trocar libras esterlinas por...
	eyoo goshtaria duh troocar leebrash eshterleenash por
– dollars into... _____	Eu gostarià de trocar dólares americanos por...
	eyoo goshtaria duh troocar dollaresh amereecarnoosh por...
What's the exchange ___ rate?	Qual é o câmbio?
	cuarl eh oo carmbio?
Could you give me _____ some small change?	Podia dar-me também dinheiro trocado, por favor?
	poodia dar muh tambaim deenyayroo troocardoo por favvor?
This is not right _____	Isto está errado
	eeshtoo eshtah eerardoo

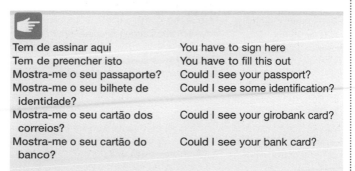

Tem de assinar aqui	You have to sign here
Tem de preencher isto	You have to fill this out
Mostra-me o seu passaporte?	Could I see your passport?
Mostra-me o seu bilhete de identidade?	Could I see some identification?
Mostra-me o seu cartão dos correios?	Could I see your girobank card?
Mostra-me o seu cartão do banco?	Could I see your bank card?

8.2 Settling the bill

Could you put it on my bill?	**Pode enviar para a minha conta?** *pod enviar parra ah meenya conta?*
Does this amount include service?	**O serviço está incluído?** *oo sairveesoo schtah eenclooeedoo?*
Can I pay by...?	**Posso pagar com...?** *possoo paggar com...?*
Can I pay by credit card?	**Posso pagar com um cartão de crédito?** *possoo paggar com oom cartow duh craydeetoo?*
Can I pay by traveller's cheque?	**Posso pagar com um traveller cheque?** *possoo paggar com oom traveller shek?*
Can I pay with foreign currency?	**Posso pagar com moeda estrangeira?** *possoo paggar com mooayda eshtranjayra?*
You've given me too much/you haven't given me enough change	**Deu-me dinheiro a mais/menos** *dayoo muh deenyayroo ah mysh/menoosh*
Would you like to check the bill again?	**Quer verificar a conta novamente?** *care vereefeecar ah conta novvamentjee?*
Could I have a receipt?	**Pode dar-me um recibo/talão da caixa?** *pod dar muh oom resseeboo/talow da caisha?*
I don't have enough money on me	**Não tenho comigo dinheiro suficiente** *now tenyoo comeegoo deenyayroo soofeecient*
This is for you	**Faça favor, isto é para si** *fassa favvor eeshtoo eh parra see*

Não se aceita cartões de crédito/traveller cheques/ moeda estrangeira	Credit cards/traveller's cheques/foreign currency are not accepted

9 Post and telephone

● **Most post offices** *(correios)* are open from 9am to 5pm from Monday to Friday and until 1pm on Saturdays. Some smaller post offices close for lunch between 12.30pm and 2.30pm. Stamps *(selos)* are also sold in tobacconists' shops *(tabacarias)* displaying the sign *CTT selos*. Portuguese postboxes are red.

9.1 Post

vales postais	selos
money orders	stamps
encomendas	
parcels	
telegramas	
telegrams	

Where's...?	Onde é...?
	ond eh...?
Where's the post office?	Onde é o correio mais perto?
	ond eh oo coorayoo mysh pairtoo?
Where's the main post office?	Onde é a agência principal do correio?
	ond eh a ajencia preenceepal doo coorayoo?
Where is the postbox?	Há aqui perto uma caixa de correio?
	ah akee pairtoo ooma caisha duh coorayoo?
Which counter is for...?	Qual é o guiché para...?
	cuarl eh oo geeshay para...?
– sending a fax?	Qual é o guiché para enviar um fax?
	cuarl eh oo geeshay parra enviar oom fax?
– changing money?	Qual é o guiché para trocar dinheiro?
	cuarl eh oo geeshay parra troocar deenyayroo?

– giro cheques? _____	Qual é o guiché para os cheques `giro'? *cuarl eh oo geeshay parra oosh sheksh jeero?*
– money orders? _____	Qual é o guiché para vale telegráfico? *cuarl eh oo geeshay parra val telegrarfeecoo?*
Poste restante _____	Posta-restante *poshta reshtant*
Is there any mail for me?	Há correio para mim? *ah coorayoo parra meem.*
My name's... _____	O meu nome é... *Oo mayoo nom eh...*

Stamps

What's the postage ____ for a...to...?	Quanto custa um/uma...para...? *cuarntoo cooshta oom/ooma...parra...?*
Are there enough _____ stamps on it?	Este valor de selos chega? *esht valor duh seloosh shayga?*
I'd like...stamps _____ of...euros	Queria...selos de...euros *kerria...seloosh duh...euros*
I'd like to send this... ___	Queria enviar isto... *kerria enviar eeshtoo...*
– by express _____	Queria enviar isto por expresso *kerria enviar eeshtoo poor eshpraysoo*
– by air mail_____	Queria enviar isto por correio aéreo *kerria enviar eeshtoo por coorayoo airayoo*
– by registered mail ____	Queria enviar isto registado *kerria enviar eeshtoo regeeshtardoo*

Telegram/fax

I'd like to send a_____ telegram to...	**Queria enviar um telegrama para...** *kerria enviar oom telegrarma parra...*
How much is it per ____ word?	**Quanto custa cada palavra?** *cuarntoo cooshta cadda palarvra?*
This is the text I want __ to send	**Este é o texto que quero enviar** *esht eh oo teshtoo kuh kerria enviar*
Shall I fill out the form __ myself?	**Posso preencher eu próprio o impresso?** *possoo pre-enshair eyoo propreeoo oo eempraysoo?*
Can I make photocopies/_____ send a fax here?	**Posso fazer fotocópias/enviar um fax aqui?** *possoo fazair fotoocopiash/enviar oom fax akee?*
How much is it _____ per page?	**Quanto custa por página?** *cuarntoo cooshta por parjeena?*

9.2 Telephone

See also 1.8 Telephone alphabet

● **As in most** countries, telephone calls made from hotels are expensive. Most public telephones offer a direct international service, but as only low value coins can be used, a considerable quantity must be on hand. Cardphones are available and phone cards *(cartão credifone)* can be purchased from post office. Portugal is well-served by the global mobile telephone network (GSM) and so it is well worth taking one along. Unlike in the UK, it is perfectly in order to ring someone after 9.30pm.

Is there a phone box ___ around here?	Há aqui perto uma cabine telefónica? *ah akee pairtoo ooma cabeen telefoneeca?*
Could I use your_____ phone, please?	Posso utilizar o seu telefone, se faz favor? *possoo ooteeleezar oo sayoo telefon, suh faj favvor?*
Do you have a _____ (city/region)...phone directory?	Tem uma lista telefónica de.../da zona de...? *taim ooma leeshta telefoneeca duh.../duh zona duh...?*
Where can I get a_____ phone card?	Onde é que posso comprar um cartão credifone? *ond eh kuh possoo comprar oom cartow credifon?*
Could you tell me...? ___	Podia dizer-me...? *poodia deezair muh...?*
– the number for_____ international directory enquiries?	Podia dizer-me o número das informações internacionais? *poodia deezair muh oo noomeroo daz eenformasoynsh eenternacionysh?*
– the number of _____ room...?	Podia dizer-me o número do quarto...? *poodia deezair muh oo noomeroo doo cuartoo...?*

– the international access code?	Podia dizer-me o indicativo de acesso?
	poodia deezair muh oo eendeecateevoo duh assesoo?
– the country code for...?	Podia dizer-me o indicativo de...?
	poodia deezair muh oo eendeecateevoo duh...?
– the trunk code for...?	Podia dizer-me o indicativo da zona de...?
	poodia deezair muh oo eendeecateevoo da zona duh...?
– the number of...?	Podia dizer-me o número do assinante...?
	poodia deezair muh oo noomeroo doo asseenant...?
Could you check if this number's correct?	Podia verificar se este número está correcto?
	poodia vereefeecar see esht noomeroo eshtah cooretoo?

Telefone para o senhor/a senhora	There's a phone call for you
Ligue primeiro o zero	You have to dial '0' first
Aguarde um momento	One moment, please
Ninguém atende	There's no answer
O número está impedido	The line's engaged
Podia esperar?	Could you hold?
Vou ligar	Putting you through
O número não está correcto	You've got the wrong number
Ele/ela não está neste momento	He's/she's not here right now
Ele/ela volta...	He'll/she'll be back...
Está ligado ao receptor automático	This is the answering machine of...

Can I dial international direct?	Posso telefonar directamente para o estrangeiro?
	possoo telefonar deeretament parra oo eshtranjayroo?
Do I have to go through the switchboard?	Tenho de pedir a chamada à telefonista?
	tenyoo de pedeer a shamarda ah telefoneeshta?
Do I have to dial '0' first?	Tenho de ligar primeiro o zero?
	tenyoo de loogar preemayroo oo zayroo?
Do I have to book my call?	Tenho de pedir a chamada?
	tenyoo de pedeer ah shamarda?
Could you dial this number for me?	Podia ligar para este número?
	poodia leegar parra esht noomeroo?
Could you put me through to.../ extension...?	Podia ligar-me com.../a extensão...?
	poodia leegar muh com.../ah eshtensow...?
I'd like to place a reverse-charge call to...	Queria fazer uma chamada paga para...
	kerria fazair ooma shamarda parga parra...?
What's the charge per minute?	Quanto custa por minuto?
	cuarntoo cooshta poor meenootoo?
Have there been any calls for me?	Alguém telefonou para mim?
	algaim telefonoo parra meem?

The conversation

Hello, this is...	Está? Daqui fala...
	eshtah? Dakee fala...
Who is this, please?	Quem fala, se faz favor?
	caim fala, suh faj favvor?
Is this...?	Estou a falar com...?
	eshtoe a falar com...?
I'm sorry, I've dialled the wrong number	Desculpe, enganei-me no número
	deshcoolp, enganay muh noo noomeroo
I didn't understand what you said	Não compreendi o que disse
	now compreyendee oo kuh deece

I'd like to speak to... __ Gostava de falar com...
goshtarva duh falar com...

Is there anybody_____ Há alguém que fale inglês?
who speaks English? *ah algaim kuh fala inglaij?*

Extension..., please ___ Extensão..., se faz favor
eshtensow..., seh faj favvor

Could you ask _____ Podia pedir-lhe para me telefonar?
him/her to call me *poodia peddeer lya parra muh telefonar?*
back?

My name's... _____ O meu nome é... O meu número é...
My number's... *oo mayoo nom eh... oo meu*
noomeroo eh...

Could you tell him/her_ Podia dizer-lhe que eu telefonei?
I called? *poodia deezair lya kuh eyoo telefonay*

I'll call back tomorrow_ Volto a telefonar-lhe amanhã
voltoo ah telefonar lya armanyar

10

Shopping

● **Opening times:** Monday to Friday from 9am to 1pm and 3 to 7pm. On Saturdays shops close at 1pm, but there is a growing trend towards staying open in the afternoons. Shopping centres *(centro comercial)* are also open on Sundays and public holidays from 9am to 1pm, with longer opening hours towards Christmas. Some small shops stay open all day on Sundays. Supermarkets *(supermercado)* stay open until at least 10pm. Chemists' *(farmácia)* opening hours are the same as those of shops and the names of late-night duty chemists are displayed in the shop window and in the newspapers.

10.1 Shopping conversations

Where can I get...?	Em que loja posso arranjar...?
	aim kay lohja possoo arranjar...?
When does this shop open?	Quando é que esta loja está aberta?
	cuarndoo eh kuh eshta lohja eshtah aberta?
Could you tell me where the...department is?	Poderia dizer-me onde fica a secção de...?
	pooderia deezer muh ond feeca ah secksow duh...?
Could you help me? I'm looking for...	Pode atender-me? Procuro...?
	pod atendair muh? Procooroo...?
Do you sell English/ American newspapers?	Tem jornais ingleses?
	taim jornysh inglayzesh?
No. I'd like...	Não. Queria...
	now. Kerria...
I'm just looking, if that's all right	Só estou a ver, obrigado
	soh eshtoe a vair, obrigahdoo
Yes, I'd also like...	Sim, dê-me também...
	seem, day muh tambaim...

Já está a ser atendido?	Are you being served?

loja de antiguidades
antique shop
armazém
department store
artigos de desporto
sports shop
artigos dietéticos
health-food
artigos de segunda
 mão
second-hand goods
artigos fotográficos
camera shop
auto-serviço
self-service
cabeleireiro
hairdresser
casa de bicicletas
bicycle shop
casa de
 brinquedos
toy shop
casa de móveis
furniture shop
casa de vinhos
off-licence
centro comercial
shopping centre
decoração de
 interiores
interior design
delicatessen
delicatessen
discoteca/artigos
 musicais
record shop

drogaria
hardware shop
electrodomésticos
electrical appliances
farmácia
pharmacy/
 dispensing
 chemist
feira
flea market
florista
florist's
frutaria
greengrocer's
geladaria
ice-cream parlour
joalharia
jewellery shop
lavandaria
launderette/laundry
leitaria
dairy products shop
limpeza a seco
dry-cleaner's
livraria
bookshop
loja
shop
loja de modas
dress shop
loja de recordações
souvenir shop
mercado
market
mercearia
grocery store

óptica
optician's
padaria
bakery
pastelaria
cake shop
peixaria
fishmonger
perfumaria
perfumery
quiosque
kiosk
reparação de
 bicicletas
bicycle repairs
retrosaria
drapers
salão de beleza
beauty parlour
sapataria
shoe shop
sapateiro
cobbler
supermercado
supermarket
tabacaria
tobacconist's
talho
butcher's

Mais alguma coisa?	Anything else?

No, thank you. That's ___ all
Não, muito obrigado. É tudo
now mueento obrigahdoo. Eh toodoo

Could you show _____ me..., please?
Pode deixar-me ver..., se faz favor?
pod dayshar muh vair..., suh faj favvor?

I'd prefer... _____
Eu preferia...
eyoo prefferia...

This is not what I'm ____ looking for
Isto não é o que eu procuro
eeshtoo now eh oo kuh eyoo procooroo

Thank you. I'll keep ____ looking
Muito obrigado. Vou dar mais uma volta
mweentoo obrigahdoo. voe dar maiz ooma volta

Do you have _____ something...?
Não tem nada mais...?
now taim narda mysh...?

– cheaper? _____
Não tem nada mais barato?
now taim narda mysh barartoo?

– smaller? _____
Não tem nada mais pequeno?
now taim narda mysh peekaynoo?

– larger? _____
Não tem nada maior?
now taim narda myor?

I'll take this one/these ___
Levo este(s)/esta(s)
levoo esht (esh)/eshta (sh)

Does it come with _____ instructions?
O modo de emprego está lá dentro?
oo modoo di empraygoo eshtah la dentroo?

It's too expensive_____
Acho demasiado caro
achoo demaziardoo caroo

I'll give you... _____
Ofereço-lhe...
oferessoo lya...

Could you keep this ___ for me? I'll come back for it later
Importa-se de me guardar isto? Volto já a buscar
eemporta suh duh muh gwardar eeshtoo? Voltoo jah booshcar

Lamento, mas não temos	I'm sorry, we don't have that
Lamento, já não temos mais	I'm sorry, we're sold out
Lamento, só vamos receber isso dentro de...	I'm sorry, that won't be in until...
Pode pagar na caixa	You can pay at the cash desk
Não aceitamos cartões de crédito	We don't accept credit cards
Não aceitamos traveller cheques	We don't accept traveller cheques
Não aceitamos moedas estrangeiras	We don't accept foreign currency

Have you got a bag?	Tem um saco?
	taim oom sarcoo?
Could you giftwrap it, please?	Pode embrulhar como prenda, se faz favor?
	pod embrulyar comoo prenda, suh faj favvor?

10.2 Food

I'd like a hundred grams of...	Eu queria cem gramas de...
	eyoo kerria saim grarmash duh ...
– five hundred grams/ half a kilo of...	Eu queria meio quilo de...
	eyoo kerria mayoo keeloo duh...
– a kilo of...	Eu queria um quilo de...
	eyoo kerria oom keeloo duh...
Could you...?	Importa-se de...?
	eemporta suh duh...?
Could you slice it/ dice it, please?	Importa-se de cortar em fatias/bocados, se faz favor?
	eemporta suh duh cortar aim fateeash/boocardoosh, suh faj favvor?

Could you grate it, _____ please?	**Importa-se de o ralar, se faz favor?** *eemporta suh duh oo rallar, suh faj favvor?*
Can I order it? _____	**Posso encomendar?** *possoo aincoomendar?*
I'll pick it up tomorrow/_ at...	**Venho buscar amanhã/às...horas** *venyoo booshcar armanyar/ush...orash*
Can you eat/drink this?_	**Pode-se comer/beber?** *pod se coomair/bebbair?*
What's in it? _____	**De que é feito?** *duh kee eh faytoo?*

10.3 Clothing and shoes

I saw something in the _ window. Shall I point it out?	**Vi uma coisa na montra. Posso lhe mostrar?** *vee ooma coyza na montra. possoo lya mooshtrar?*
I'd like something to ___ go with this	**Queria uma coisa para condizer com isto** *kerria ooma coyza parra condeezair com eeshtoo*
Do you have shoes _____ in this same colour?	**Tem sapatos nesta mesma cor?** *taim sapartoosh neshta mejma cor?*
I'm a size...in the UK ___	**Na Grã Bretanha o meu número é...** *na grar bretarnya oo mayoo noomeroo eh...*
Can I try this on? _____	**Posso experimentar?** *possoo eshprimentar?*
Where's the fitting _____ room?	**Onde fica o gabinete de prova?** *ond feeca oo gabeenet duh provva?*
It doesn't fit _____	**Não me serve** *now muh sairve*
This is the right size____	**Esta medida é boa** *eshta medeeda eh boa*
It doesn't suit me _____	**Não me fica bem** *now muh feeca baim*

Não passar a ferro	Limpar a seco
Do not iron	Dry clean
Não centrifugar	Lavar à mão
Do not spin dry	Hand wash
Pendurar molhado	Lavar à máquina
Drip dry	Machine wash

Do you have this/ these in...?	Tem também isto em...
	taim tambaim eeshtoo aim...
I find the heel too high/low	Acho o salto demasiado alto/baixo
	ashoo oo saltoo demaziardoo altoo/byshoo
Is this genuine leather?	Isto é couro verdadeiro?
	eeshtoo eh cooroo verdadayroo?
I'm looking for a... for a...-year-old baby/child	Procuro um...para um bébé/uma criança de...anos
	procooroo oom...parra oom baybay/ooma criansa duh...arnoosh
I'd prefer a...of...	Eu preferia um...de...
	eyoo prefferia oom...duh...
– silk	Eu preferia um...de seda
	eyoo prefferia oom...duh sayda
– cotton	Eu preferia um...de algodão
	eyoo prefferia oom...duh algoodow
– wool	Eu preferia um...de lã
	eyoo prefferia oom... duh lang
– linen	Eu preferia um...de linho
	eyoo prefferia oom...duh leenyoo
What temperature can I wash it at?	A que temperatura é que posso lavar?
	a kay temperatoora eh kuh possoo lavar?
Will it shrink in the wash?	Encolhe ao lavar?
	aincollye ow lavar?

At the cobbler's

Could you mend_____ these shoes?	Pode arranjar-me estes sapatos?
	pod arranjar muh eshtash sapartoosh?
Could you put new ____ soles/heels on these?	Poderia pôr aqui solas novas/saltos novos?
	pooderia poor akee solash novash/saltoosh novoosh?
When will they be_____ ready?	Quando estão prontos?
	cuarndoo eshtow prontoosh?
I'd like... _____	Eu queria...
	eyoo kerria...
– a tin of shoe polish ___	Eu queria uma caixa de pomada
	eyoo kerria ooma caisha duh poomarda
– a pair of shoelaces ___	Eu queria um par de atacadores
	eyoo kerria oom par duh attackadooresh

10.4 Photographs and video

I'd like a film for this ___ camera, please	Eu queria um rolo para esta máquina, se faz favor
	eyoo kerria oom rolloo parra eshta markina, suh faj favvor
– a cartridge _____	Eu queria uma cassette
	eyoo kerria ooma cassett
– a slide film _____	Eu queria um rolo de diapositivos
	eyoo kerria oom rolloo duh diaposeeteevoosh
– a film cartridge _____	Eu queria um cassette para filmar
	eyoo kerria oom cassett parra feelmar
– a videotape _____	Eu queria um cassette de vídeo
	eyoo kerria oom cassett duh veedyoo

– a colour/black and ___ white film

Eu queria um rolo a cores/a preto e branco

eyoo kerria oom rolloo ah cooresh/ah praytoo e brancoo

– a super eight film ____

Eu queria um filme super de 8mm

eyoo kerria oom feelm soopair duh 8mm

– a 12/24/36 _____ exposures film

Eu queria um rolo de 12/24/36 fotografias

eyoo kerria oom rolloo duh 12/24/36 fotografeeash

– a film of...ASA _____

Eu queria um rolo de ISO...

eyoo kerria oom rolloo duh ee ess oo...

– a daylight film _____

Eu queria um rolo para luz natural

eyoo kerria oom rollo parra looj naturarl

– a film for artificial ____ light

Eu queria um rolo para luz artificial

eyoo kerria oom rolloo parra looj artifeeciarl

Problems

Could you load the ____ film for me?

Importa-se de colocar o rolo na máquina?

eemporta suh duh coloocar oo rolloo na markina?

Could you take the film_ out for me?

Importa-se de tirar o rolo da máquina?

eemporta suh duh teerar oo rolloo da markina?

Should I replace _____ the batteries?

Tenho de substituir as pilhas?

tenyoo duh soobshteetweer ash peelyash?

Could you have a look _ at my camera? It's not working

Importa-se de ver a minha máquina/câmara? Não trabalha

eemporta suh duh vair a meenya markina/camera? Now trabalya

The...is broken _____

O...está estragado

oo...eshtah eshtragardoo

The film's jammed _____	O rolo está preso
	oo rolloo eshtah prayzoo
The film's broken _____	O rolo está partido
	oo rolloo eshtah parteedoo
The flash isn't working _	O flash não funciona
	oo flash now foonsyona

Processing and prints

I'd like to have this film_ developed/printed	Eu queria mandar revelar/ reproduzir este rolo
	eyoo kerria mandar revelar/ reprodoozeer esht rolloo
I'd like...prints from _____ each negative	Eu queria...cópias de cada negativo
	eyoo kerria...copeeash duh cadda negateevoo
I'd like glossy/mat _____ prints	Eu queria cópias brilhantes/mates
	eyoo kerria copeeash breelyantesh/matsh
I'd like 6x9 prints _____	Eu queria cópias seis por nove
	eyoo kerria copeeash saysh poor nov
I'd like to order _____ these photos	Eu queria encomendar estas fotos
	eyoo kerria aincoomendar eshtash fotoosh
I'd like to have this_____ photo enlarged	Eu queria mandar ampliar esta foto
	eyoo kerria mandar ampliar eshta fotoo
How much is_____ processing?	Quanto custa a revelação?
	cuarntoo cooshta a revellasow?
How much is printing? _	Quanto custa a reprodução?
	cuarntoo cooshta a reprodoosow?
How much is it _____ to re-order?	Quanto custa mandar fazer mais cópias?
	cuarntoo cooshta mandar fazair mysh copeeash?
How much is an _____ enlargement?	Quanto custa uma ampliação?
	cuarntoo cooshta ooma ampleeasow
When will they _____ be ready?	Quando estão prontas?
	cuarndoo eshtow prontash?

10.5 At the hairdresser's

Do I have to make an appointment?	Tenho de marcar hora?
	tenyoo duh marcar ora?
Can I come in straight away?	Pode atender-me já?
	pod atendair muh jah?
How long will I have to wait?	Quanto tempo tenho de esperar?
	quarntoo tompoo tenyoo duh eshparrar?
I'd like a hair wash/ haircut	Eu queria lavar/cortar o meu cabelo
	eyoo kerria lavar/cortar oo mayoo cabayloo
I'd like a shampoo for oily/dry hair	Eu queria um champô para cabelo gorduroso/seco
	eyoo kerria oom shampoh parra cabayloo gordooroso/saycoo
– an anti-dandruff shampoo	Eu queria um champô contra a caspa
	eyoo kerria oom shampoh contra a cashpa
– a shampoo for permed/coloured hair	Eu queria um champô para cabelo com permanente/pintado
	eyoo kerria oom shampoh parra cabayloo com permanent/peentardoo
– a colour rinse shampoo	Eu queria um champô com cor
	oyoo kerria oom shampoh com cor
– a shampoo with conditioner	Eu queria um champô com condicionador
	eyoo kerria oom shampoh com condicionardoor
– highlights	Eu queria madeixas
	eyoo kerria madayshash
Do you have a colour chart, please?	Tem um catálogo com as cores?
	taim oom cataloggoo com ash coresh?
I want to keep it the same colour	Eu queria manter a mesma cor
	eyoo kerria mantair a mejma cor
I'd like my hair darker/lighter	Eu queria o cabelo mais escuro/claro
	eyoo kerria oo cabayloo maiz eshcooroo/claroo

I'd like/I don't want ____ hairspray	**Quero (não quero) laca no meu cabelo** *cairoo (now cairoo) larca noo mayoo cabayloo*
– gel _____	**Quero (não quero) gel** *cairoo (now cairoo) jel*
– mousse _____	**Quero (não quero) mousse** *cairoo (now cairoo) mousse*
I'd like a short fringe ___	**Queria a franja curta** *kerria a franja coorta*
Not too short at the ___ back	**Atrás não queria demasiado curto** *atraj now kerria demaziardoo coortoo*
Not too long here_____	**Aqui não quero muito comprido** *akee now cairoo mweentoo coompreedoo*
I'd like (just a few) ____ curls	**Quero (não muitos) caracóis** *cairoo (now mueentoosh) carracoysh*
It needs a little/_____ a lot taken off	**Corte um pouco/bastante** *cort oom poecoo/bashtant*
I want a completely ____ different style	**Queria um modelo totalmente diferente** *kerria oom moodeloo tootalment deeferent*
I'd like it as..._____	**Queria o meu cabelo como...** *kerria oo mayoo cabayloo comoo...*
– that lady's_____	**Queria o meu cabelo como o daquela senhora** *kerria oo may cabayloo comoo oo dakella senyora*
– in this photo_____	**Queria o meu cabelo como o desta foto** *kerria oo mayoo cabayloo comoo oo desta fotoo*
Could you put the _____ drier up/down a bit?	**Podia pôr o secador mais forte/fraco?** *poodia poor oo secadoor maish fort/frarcoo?*
I'd like a facial_____	**Queria uma máscara para o rosto** *kerria ooma mashcara parra oo roshtoo*
– a manicure _____	**Queria que me fizesse uma manicure** *kerria kuh me feezess ooma manicure*
– a massage _____	**Queria uma massagem** *kerria ooma massarjaim*

Como deseja o cabelo cortado?	How do you want it cut?
Que modelo deseja?	What style did you have in mind?
Que cor deseja?	What colour do you want it?
Esta temperatura está boa?	Is the temperature all right for you?
Deseja alguma coisa para ler?	Would you like something to read?
Deseja beber alguma coisa?	Would you like a drink?
Está bem assim?	Is this what you had in mind?

Could you trim _____ my fringe?	**Podia aparar-me a franja?** *poodia aparar muh a franja?*
– my beard? _____	**Podia aparar-me a barba?** *poodia aparar muh a barba?*
– my moustache?_____	**Podia aparar-me o bigode?** *poodia aparar muh oo beegod?*
I'd like a shave, please _	**A barba, se faz favor** *a barba, se faj favvor*
I'd like a wet shave _____	**Queria a barba feita com navalha** *kerria a barba fayta com navaly*

11 At the Tourist Information Centre

11.1 Places of interest

Where's the Tourist ____ Information Centre?	Onde é o posto de turismo? *ond eh oo poshtoo duh tooreeshmoo?*
Do you have a city ____ map?	Tem uma planta da cidade? *taim ooma planta dah sidarde?*
Where is the museum? _	Onde é o museu? *ond oh oo moozayoo?*
Where can I find _____ a church?	Onde ha uma igreja? *ond ah ooma eegrayja?*
Could you give me____ some information about...?	Podia dar-me alguma informação sobre...? *poodia dar muh algooma eenformasow sobre...?*
How much do we ____ have to pay you?	Quanto é que temos de lhe pagar? *cuarntoo eh kuh taymoosh duh lya pagar?*
What are the main ____ places of interest?	Quais são as atrações mais importantes? *quysh sow ash atrasoynsh maiz eemportantesh?*
Could you point them _ out on the map?	Podia indicá-las no mapa? *poodia eendeecar lash noo marpa?*
What do you _____ recommend?	O que é que nos aconselha? *oo kuh eh kuh nooz aconselya?*
We'll be here for a ____ few hours	Ficamos aqui umas horas *feecarmoos akee oomash orash*
– a day _____	Ficamos aqui um dia *feecarmoos akee oom deah*

– a week _____ Ficamos aqui uma semana
feecarmoos akee ooma semarna

We're interested in... ____ Estamos interessados em...
eshtarmoosh eenteressardoosh aim...

Is there a scenic walk __ Podemos fazer um passeio turístico pela
around the city? cidade?
*poodaymoosh fazair oom passayoo
tooreeshteecoo pella sidarde?*

How long does it take? _ Quanto tempo demora?
cuarntoo tempoo demoora?

Where does it _____ Onde começa/acaba?
start/end? *ond comessa/acarba?*

Are there any boat _____ Há aqui barcos de excursão?
cruises here? *ah akee barcoosh duh eshcoorsow?*

Where can we board? __ Onde é que podemos embarcar?
ond eh kuh poodaymoosh embarcar?

Are there any bus _____ Há excursões de autocarro?
tours? *ah eshcoorsoynsh duh outoocahroo?*

Where do we get on? __ Onde é que podemos entrar?
ond eh kuh poodaymoosh entrar?

Is there a guide who ___ Há um guia que fale inglês?
speaks English? *ah oom gueeah kuh fal eenglayj?*

What trips can we take _ Que passeios podemos dar nos
around the area? arredores?
*kay passayoosh poodaymoosh dar nooz
arredooresh?*

Are there any_____ Há excursões?
excursions? *ah eshcoorsoynsh?*

Where do they go to? __ Para onde vão as excursões?
parra ond vow az eshcoorsoynsh?

We'd like to go to... ____ | Nós queremos ir a...
nosh kerraymooz eer ah...

How long is the _____ excursion? | Quanto tempo demora a excursão?
cuarntoo tempoo demoora ah eshcoorsow?

How long do we_____ stay in...? | Quanto tempo ficamos em...?
cuarntoo tempoo feecarmoosh aim...?

Are there any guided___ tours? | Há visitas guiadas?
ah veezeetash gueeardaosh?

How much free time ___ will we have there? | Quanto tempo temos só para nós?
cuarntoo tempoo taymoosh soh parra noj?

We want to go hiking___ | Queriamos fazer uma caminhada
kerriamoosh fazair ooma cameenyarda

Can we hire a guide? __ | Podemos contratar um guia?
poodaymoosh contratar oom gueeah?

Can I book mountain___ huts? | Posso reservar abrigos?
possoo resairvar abreegoosh?

What time does..._____ open/close? | A que horas abre/fecha...?
ah kay orash abre/faysha...?

What days is...open/ ___ closed? | Em que dias está aberto/fechado...?
aim kuh deeash eshtah abairtoo/fechardoo...?

What's the admission __ price? | Quanto custa a entrada?
cuarntoo cooshta ah entrarda?

Is there a group _____ discount? | Há desconto para grupos?
ah deshcontoo parra groopoosh?

Is there a child _____ discount? | Há desconto para crianças?
ah deshcontoo parra creeansash?

Is there a discount____ for pensioners? | Há desconto para reformados?
ah deshcontoo parra reformardoosh?

Can I take (flash) _____   Posso aqui fotografar (com flash)/filmar?
photos/can I film here?   *possoo akee fotografar (com*
                       flash)/feelmar?

Do you have any _____   Vende postais com...?
postcards of...?   *vend pooshtysh com...?*

Do you have an _____   Tem um/uma...em inglês?
English...?   *taim oom/ooma...aim eenglayj?*

– catalogue? _____   Tem um catálogo em inglês?
                     taim oom catalogoo aim eenglayj?

– programme? _____   Tem um programa em inglês?
                     taim oom proograrma aim eenglayj?

– brochure? _____   Tem um folheto em inglês?
                     taim oom foolyetoo aim eenglayj?

11.2 Going out

● **There are far fewer cinemas in Portugal** than in the UK.
Usherettes will normally expect a small tip. Most films shown are in
English with Portuguese subtitles, which is very convenient.
Sometimes the name given to the film in Portuguese is completely
different from its original. Details of theatre and cinema programmes
are to be found in the national newspapers, especially in the Friday
editions. Showings are generally much later than in the UK and
theatre performances are often subject to considerable delay.

Do you have this _____   Tem o jornal de espectáculos desta
week's/month's   semana/deste mês?
entertainment guide?   *taim oo jornarl di eshpetarcooloosh deshta*
                     semarna/deshta mayge?

What's on tonight?_____   O que é que há para fazer esta noite?
                     oo kee eh kuh ah parra fazzair eshta noyt?

We want to go to... _____   Queríamos ir a...
                     kerriamoosh eer ah...

Which films are showing?	Que filmes estão a passar?
	kuh feelmesh eshtow ah passar?
What sort of film is it?	Que género de filme é?
	kuh jenroo duh feelm eh?
It's suitable for all ages	É para todas as idades
	eh parra toedaz az eedardesh
It's only for people above 12/16 years	É só para pessoas acima dos 12/16 anos
	eh sooh parra pessowash aseema dooz 12/16 arnoosh
It's the original version	É a versão original
	eh ah versow ooreegeenarl
It's subtitled	É com legendas
	eh com lejendash
It's dubbed	É dobrado
	eh doobrardoo
Is it a continuous showing?	São sessões contínuas?
	sow sessoynsh conteenooash?
What's on at...?	Qual é o programa do...?
	quarl eh oo proogrrarma doo...?
– the theatre?	Qual é o programa do teatro?
	quarl eh oo proogrrarma doo teeartroo?
– the concert hall?	Qual é o programa de concertos?
	quarl eh oo proogrrarma duh consairtoosh?
– the opera?	Qual é o programa da ópera?
	quarl eh oo proogrrarma dah ohpairah?
Where can I find a good disco around here?	Onde é que há uma boa discoteca aqui?
	ond eh kuh ha ooma boa deeshcooteca akee?
Does one have to be a member?	É necessário ser membro?
	eh necessaryoo sair membroo?
Where can I find a good nightclub around here?	Onde é que há um bom clube nocturno aqui?
	ond eh kuh ah oom bom cloob notoornoo akee?

Is it evening wear _____ only?

É obrigatório traje de cerimónia?
eh obreegatoryoo trarj duh cerimonnia?

Should I/we dress up? _

É aconselhável traje a preceito?
eh aconselyarvel trarj ah presaytoo?

What time does the _____ show start?

A que horas começa o show?
ah kay orash coomessa oo show?

When's the next _____ soccer match?

Quando é o próximo jogo de futebol?
cuarndoo eh oo prosseemoo jogoo duh footebol?

Who's playing? _____

Quem é que vai jogar?
caim eh kuh vy joogar?

I'd like an escort for_____ tonight. Could you arrange that for me?

Queria ter um/uma acompanhante para hoje a noite. Pode tratar-me disto?
kerria tair oom/ooma acompanyant parra oarje a noyt. pod tratar muh deeshtoo?

11.3 Booking tickets

We'd like to book... ____ Queríamos reservar...
kerriamoosh rezairvar...

– seats in the stalls ____ Queríamos reservar...lugares na plateia
kerriamoosh rezairvar...loogaresh na plataya

– seats on the balcony _ Queríamos reservar...lugares no balcão
*kerriamoosh rezairvar...loogaresh noo
balcow*

– a table at the front ____ Queríamos reservar uma mesa à frente
kerriamoosh rezairvar ooma mayza ah frent

– seats in the centre ____ Queríamos reservar...lugares a meio
kerriamoosh rezairvar...loogaresh ah mayoo

– seats at the back ____ Queríamos reservar...lugares atrás
kerriamoosh rezairvar...loogaresh atraj

Could I book...seats ____ Posso reservar...lugares para a sessão
for the...o'clock das...?
performance? *possoo resairvar...loogaresh parra a
sessow dash...?*

Are there any tickets __ Ainda há bilhetes para esta noite?
left for tonight? *ayeenda ah beelyetsch parra eshta noyt?*

How much is a ticket? _ Quanto custa um bilhete?
cuarntoo cooshta oom beelyet?

When can I pick the ____ Quando é que posso levantar os
tickets up? bilhetes?
*cuarndoo eh kuh possoo levantaroosh
beelyetsch?*

I've got a reservation___ Reservei
resairvay

My name's... _____ O meu nome é...
oo mayoo nom eh...

Para que sessão é que deseja reservar?	Which performance do you want to book for?
Onde é que deseja se sentar?	Where would you like to sit?
Está esgotado	Everything's sold out
Só há lugares de pé	We've only got standing spaces left
Só há lugares no balcão	We've only got balcony seats left
Só há lugares na geral	We've only got seats left in the gallery
Só há lugares na plateia	We've only got stalls seats left
Só há lugares à frente	We've only got seats left at the front
Só há lugares atrás	We've only got seats left at the back
Quantos lugares deseja?	How many seats would you like?
Tem de levantar os bilhetes antes das...horas	You'll have to pick up the tickets before...o'clock
Posso ver os seus bilhetes?	Tickets, please
Este é o seu lugar	This is your seat
Estâo em lugares errados	You're in the wrong seats

12.1 Sporting questions

Where can we... _____ around here?	Onde é que podemos...aqui? *ond eh kuh poodaymooz...akee?*
Is there a... _____ nearby?	Há um...perto daqui? *ah oom...pairtoo dackee?*
Can I hire a...here? ____	Posso alugar um/uma...aqui? *possoo aloogar oom/ooma...akee?*
Can I take...lessons? ___	Posso ter lições de...? *possoo tair leesoynsh duh...?*
How much is it per ____ hour/per day/a turn?	Quanto custa por hora/dia/vez? *cuarntoo cooshta por ora/deeah/vaij?*
Do I need a permit? ____	É preciso uma licença? *eh preseezoo ooma leesensa?*
Where can I get _____ the permit?	Onde é que posso tirar a licença? *ond eh kuh possoo teerar a leesensa?*

12.2 By the waterfront

Is it a long way _____ (by foot) to the sea?	É muito longe (a pé) daqui ao mar? *eh mueentoo lonj (ah peh) dakee ow mar?*
Is there...nearby? _____	Há um/uma...perto daqui? *ah akee oom/ooma...pairtoo dackee?*
– an outdoor/indoor/ ___ public swimming pool nearby?	Há uma piscina perto daqui? *ah ooma peeshseena pairtoo dackee?*
– a sandy beach _____ nearby?	Há aqui uma praia de areia perto? *ah akee ooma prya di araya pairtoo?*
– a nudist beach _____ nearby?	Há uma praia de naturistas perto daqui? *ah ooma prya duh natooreeshtash pairtoo dackee?*
– a quay nearby? _____	Há um cais perto daqui? *ah oom kysh pairtoo dackee?*

Are there any rocks here?	Há rochas aqui?	
	ah roshash akee?	
When's high/low tide?	Quando é a maré cheia/a maré vazia?	
	cuarndoo eh a maray shaya/a maray vazeeah?	
What's the water temperature?	Qual é a temperatura da água?	
	cuarl eh a temperatoora da agwar?	
Is it (very) deep here?	Aqui é (muito) fundo?	
	akee eh mweentoo foundoo?	
Can I reach the ground here?	Aqui tenho pé?	
	akee tenyoo peh?	
Is it safe to swim here?	É seguro nadar aqui (para as crianças)?	
	eh segooroo nadar akee (parra ash creansash?)	
Are there any currents?	Há correntes?	
	ah coorentesh?	
Are there any rapids/waterfalls in this river?	Este rio tem rápidos/cataratas?	
	esht reeoo taim rappeedoosh/cataratash?	
What does that flag/buoy mean?	O que significa aquela bandeira/bóia?	
	oo kuh signeefeeca akela bandayra/boya?	
Is there a life guard on duty here?	Há aqui um salva-vidas?	
	ah akee oom salva-veedash?	
Are dogs allowed here?	São permitidos cães aqui?	
	sow permeeteedoosh caynz akee?	
Is camping on the beach allowed?	Pode-se acampar aqui na praia?	
	pod suh acampar akee na prya?	
Is it permitted to build a fire here?	Pode-se fazer uma fogueira aqui?	
	pod suh fazair ooma foogayra akee?	

Perigo	É proibido pescar	É proibido nadar
Danger	No fishing	No swimming
É permitido pescar	É proibido fazer surf	Só com licença
Fishing allowed	No surfing	Permits only

13

Sickness

13.1 Call (fetch) the doctor

Could you call/fetch a__ doctor quickly, please?
Podia chamar/ir buscar um médico depressa, se faz favor?
poodia shamar/eer booshcar oom maydeecoo, suh faj favvor?

When does the doctor have surgery?
Quando é a consulta do médico?
cuarndoo eh a consoolta doo meydeecoo?

When can the doctor__ come?
Quando é que o médico pode vir?
cuarndoo eh kuh oo meydeecoo pod veer?

I'd like to make an _____ appointment to see the doctor
Podia marcar-me uma consulta no médico?
poodia marcar muh ooma consoolta noo meydeecoo?

I've got an _____ appointment to see the doctor at...
Tenho uma consulta no médico às...horas
tenyoo ooma consoolta noo meydeecoo az...orash

Which doctor/chemist__ has night/weekend duty?
Que médico/farmácia tem serviço nocturno/de fim de semana?
kuh meydeecoo/farmassia taim sairveesoo notoornoo/duh feem duh semarna?

13.2 Patient's ailments

I don't feel well _____	**Não me sinto bem**
	now muh seentoo baim
I'm dizzy_____	**Tenho tonturas**
	tenyoo tontoorash
I feel ill _____	**Sinto-me doente**
	seentoo muh dooent
I feel sick _____	**Sinto-me enjoado**
	seento muh enjooardoo
I've got a cold_____	**Sinto-me constipado**
	seento muh conshteepardoo
It hurts here_____	**Dói-me aqui**
	doy muh akee
I've been throwing up __	**Vomitei**
	voomeetay
I've got a headache_____	**Tenho dor de cabeca**
	tenyoo door duh cabaysa
I'm running a_____ temperature of...degrees	**Tenho...graus de febre** *tenyoo...growsh duh febre*
I've been stung by _____ a wasp	**Fui picado por uma abelha** *fwee peecardoo por ooma abelya*
I've been stung by an __ insect	**Fui picado por um insecto** *fwee picardoo por oom eensetoo*
I've been bitten by _____ a dog	**Fui mordido por um cão** *fwee mordeedoo por oom cow*
I've been stung by _____ a jellyfish	**Fui mordido por uma alforreca** *fwee mordeedoo por ooma alfooreka*
I've been bitten by _____ a snake	**Fui mordido por uma cobra** *fwee mordeedoo por ooma cobbra*
I've been bitten by _____ an animal	**Fui mordido por um bicho** *fwee mordeedoo por oom beeshoo*
I've cut myself _____	**Cortei-me**
	cortay muh

I've burned myself _____	**Queimei-me**
	kaymay muh
I've grazed myself _____	**Fiz um arranhão**
	feez oom aranyow
I've had a fall _____	**Caí**
	ky
I've sprained my ankle _	**Torci o tornozelo**
	torsee oo toornnzeloo
I've come for a	**Venho pedir uma pílula 'morning after'**
morning-after pill	*venyoo pedeer ooma peeloola 'morning-after'*

13.3 The consultation

O que tem?	What seems to be the problem?
Há quanto tempo sofre disto?	How long have you had these symptoms?
Já teve isto antes?	Have you had this trouble before?
Que febre tem?	How high is your temperature?
Podia despir-se, se faz favor?	Get undressed, please
Podia despir-se da cintura para cima?	Strip to the waist
Pode despir-se ali	You can undress there
Puxe a manga esquerda/direita para cima?	Roll up your left/right sleeve
Deite-se aqui	Lie down here
Isto faz-lhe doer?	Does this hurt?
Respire fundo	Breathe deeply
Abra a boca	Open your mouth

É alérgico a qualquer coisa?	Do you have any allergies?
Toma medicamentos?	Are you on any medication?
Faz qualquer dieta?	Are you on any sort of diet?
Está grávida?	Are you pregnant?
Está vacinado contra o tétano?	Have you had a tetanus vaccination?
Não é nada de grave	It's nothing serious
Partiu o/a...	You've broken your...
Magoou o/a...	You've bruised your...
Estalou o/a...	You've split your...
Tem uma inflamacão	You've got an inflammation
Tem uma apendicite	You've got appendicitis
Tem uma bronquite	You've got bronchitis
Tem uma doença venérea	You've got a venereal disease
Tem uma gripe	You've got the flu
Teve um ataque cardíaco	You've had a heart attack
Tem uma infecção (provocada por um vírus/uma bactéria)	You've got an infection (viral/bacteria)

Patient's medical history

I'm a diabetic _____	Sofro de diabetes *sofroo duh deeabetsh*
I have a heart condition	Sofro do coração *sofroo doo coorasow*
I have asthma _____	Sofro de asma *sofroo di ajma*
I'm allergic to... _____	Sou alérgico a... *soe alergeeco ah...*
I'm...months pregnant __	Estou grávida de...meses *eshtoe graveeda duh...meyzesh*

Tem uma infecção pulmonar	You've got pneumonia
Tem uma úlcera	You've got an ulcer
Distendeu um músculo	You've pulled a muscle
Tem uma infecção na vagina	You've got a vaginal infection
Tem uma intoxicação de alimentos	You've got food poisoning
Apanhou uma insolação	You've got sunstroke
É alérgico a ...	You're allergic to ...
Está grávida	You're pregnant
Tem de fazer análises ao sangue/à urina/às fezes	You'll need to have your blood/urine/stools tested
Tem de levar pontos	It needs stitching
Tem de ir a um especialista/para o hospital	I'm referring you to a specialist/sending you to hospital
Tem de tirar radiografias	You'll need to have some x-rays taken
Pode aguardar ainda na sala de espera, se faz favor?	Could you wait in the waiting room, please?
Tem de ser operado	You'll need an operation

I'm on a diet _____
Estou de dieta
eshtoe duh deeayta

I'm on medication/the _
pill
Tomo medicamentos/a pílula
tomoo medeecamentoosh/a peeloola

I've had a heart attack _
once before
Já tive outro ataque cardíaco
jah teev ohtroo atak cardeeacoo

I've had a...operation___
Fui operado de...
fwee operardoo duh...

I've been ill recently____
Estive doente recentemente
eshteev dooent recentement

I've got an ulcer _____
Tenho uma úlcera
tenyoo ooma oolsera

I've got my period _____
Estou com a menstruação
eshtoe com a menshtrooasow

The diagnosis

Is it contagious? _____	É contagioso?
	eh contajiozoo?
How long do I have to__ stay...?	Quanto tempo tenho de ficar...?
	cuarntoo tempoo tenyoo duh feecar...?
– in bed _____	Quanto tempo tenho de ficar de cama?
	cuarntoo tempoo tenyoo duh feecar duh camma?
– in hospital_____	Quanto tempo tenho de ficar no hospital?
	cuarntoo tempoo tenyoo duh feecar noo oshpeetal?
Do I have to go on _____ a special diet?	Tenho de fazer alguma dieta?
	tenyoo duh fazair algooma diayta?
Am I allowed to travel? _	Posso viajar?
	possoo veajar?
Can I make a new _____ appointment?	Posso marcar outra consulta?
	possoo marcar ohtra conssoolta?
When do I have to _____ come back?	Quando é que tenho de voltar?
	cuarndoo eh kuh tenyoo duh voltar?
I'll come back _____ tomorrow	Volto amanhã
	voltoo armanyar

Volte amanhã/daqui a...dias — Come back tomorrow/in...days' time

13.4 Medication and prescriptions

How do I take this _____ medicine?	Como é que tenho de tomar este medicamento? *coemoo eh kuh tenyoo duh toomar esht medeecamentoo?*
How many capsules/ drops/injections/ spoonfuls/tablets each time?	Quantas cápsulas/gotas/injecções/ colheres/comprimidos de uma vez? *cuarntash capsoolash/gottash, eenjecsoynsh/coolyairesh/compreemeedo sh di ooma vej?*
How many times a day?	Quantas vezes por dia? *cuarntash vayzesh por deeah?*
I've forgotten my _____ medication. At home I take...	Esqueci-me dos meus medicamentos. Costumo tomar... *eshkessee muh doosh mayoosh meydeecamentoosh. coshtoomoo toomar...*
Could you make out a_ prescription for me?	Podia passar-me uma receita? *poodia passar muh ooma ressayta?*

Receito-lhe um antibiótico/ xarope/sedativo/analgésico	I'm prescribing antibiotics/a mixture/a tranquillizer/pain killers
Tem de descansar	You need to rest
Tem de ficar dentro de casa	Stay indoors
Tem de ficar na cama	Stay in bed

antes das refeições	durante...dias	...vezes por dia
before meals	for...days	...times a day
cápsulas	engolir inteiro	só para uso externo
capsules	swallow	only for external use
dissolver em água	whole	terminar a cura
dissolve in water	esfregar	finish the prescription
comprimidos	rub on	tomar
tablets	gotas	take
colheres (de	drops	este medicamento
sopa/de chá)	injecções	pode influenciar a
spoonfuls	injections	condução
(tablespoons/	pomada	this medication
teaspoons)	ointment	impairs your driving

13.5 At the dentist's

Do you know a good___ dentist?
Conhece um bom dentista?
coonyess oom bom denteeshta?

Could you make a _____ dentist's appointment for me? It's urgent
Podia marcar-me uma consulta no dentista? É urgente
poodia marcar muh ooma consoolta noo denteeshta? Eh oorgent

Can I come in today, ___ please?
Podia ser ainda hoje?
poodia sair ayeenda oarje?

I have (terrible) _____ toothache
Tenho (imensa) dor de dentes
tenyoo (eemensa) door duh dentesh

Could you prescribe/___ give me a painkiller?
Podia receitar-me um analgésico?
poodia ressaytar muh oom analjezzeecoo?

One of my teeth _____ has cracked
Partiu-se um dos meus dentes
partyoo suh oom doosh mayoosh dentesh

My filling's come out ___
O chumbo do dente caiu
oo choomboo doo dent cayoo

I've got a cracked ___ crown	Partiu-se a coroa
	partyoo suh ah coroah
I'd like/I don't want a___ local anaesthetic	Gostava/não gostava de anestesia local
	goshtarv/now goshtarv duh aneshtezia loocal
Can you do a makeshift repair job?	Podia fazer um arranjo provisório?
	poodia fazair oom arranjoo prooveesoryoo?
I don't want this tooth pulled	Não quero que arranque este dente
	now cairoo kuh arrank eshtl dentl
My dentures are broken. Can you fix them?	A minha dentadura partiu-se. Podia arranjá-la?
	a meenya dentadoora partyoo suh. Poodia arranjar la?

Que dente lhe dói?	Which tooth hurts?
Tem um abcesso	You've got an abscess
Tem de fazer um tratamento ao nervo	I'll have to do a root canal
Vou fazer uma anestesia local	I'm giving you a local anaesthetic
Tenho de chumbar/tirar/limar este dente	I'll have to fill/pull/file this tooth
Tenho de brocar	I'll have to drill
Abra a boca	Open your mouth
Feche a boca	Close your mouth
Bochechar	Rinse
Ainda sente dores?	Does it hurt still?

14 In trouble

14.1 Asking for help

Help! _____	Socorro!
	socooroo!
Fire! _____	Fogo!
	foegoo!
Police! _____	Polícia!
	pooleecia!
Quick! _____	Depressa!
	depressa!
Danger! _____	Perigo!
	pereegoo!
Watch out! _____	Atenção!
	atensow
Stop! _____	Páre!
	parah!
Be careful! _____	Cuidado!
	cweedardoo
Don't! _____	Não faça isso!
	now fassa eessoo!
Let go! _____	Largar!
	largar!
Stop that thief! _____	Apanhe o ladrão!
	apanya oo ladrow!
Could you help me, _____ please?	Podia ajudar-me?
	poodia ajoodar muh?
Where's the police _____ station/emergency exit/fire escape?	Onde é a polícia/a saída de emergência/ a escada de incêndios?
	ond eh a pooleecia/a sayeeda di emerjencia/a eshcarda di eencendyoosh?
Where's the nearest fire extinguisher?	Onde está o extintor?
	ond eshtah oo eshteentor?
Call the fire brigade! ___	Chame os bombeiros!
	shamma oosh bombayroosh!
Call the police! _____	Telefone à polícia
	telefon ah pooleecia!

Call an ambulance! ____	Chame uma ambulância
	shamma ooma amboolancia
Where's the nearest____ phone?	Onde é o telefone?
	ond eh oo telefon?
Could I use your _____ phone?	Posso usar o seu telefone?
	possoo oozar oo sayoo telefon?
What's the emergency _ number?	Qual é o número de urgência?
	cuarl eh oo noomeroo duh oorjensia?
What's the number for _ the police?	Qual é o número da polícia?
	cuarl eh oo noomeroo da pooleecia?

14.2 Loss

I've lost my purse/____ wallet	Perdi o meu porta-moedas/a minha carteira
	pairdee oo mayoo porta mooaydash/a meenya cartayra
I lost my...yesterday____	Ontem esqueci-me do meu/da minha...
	ontaim eshkecee muh doo mayoo/da meenya...
I left my...here _____	Deixei aqui o meu/a minha...
	dayshay akee oo mayoo/a meenya...
Did you find my...?____	Encontrou o meu/a minha...?
	encontroe oo mayoo/a meenya...?
It was right here _____	Estava aqui
	eshtarva akee
It's quite valuable _____	É bastante valioso
	eh bashtant valiozoo
Where's the lost _____ property office?	Onde é a secção de perdidos e achados?
	ond eh a seksow duh pairdeedoos e achardoosh?

14.3 Accidents

There's been an _____ accident	Houve um acidente *ohve oom asseedent*
Someone's fallen into __ the water	Caiu uma pessoa na água *cayoo ooma pessoa nah agwa*
There's a fire _____	Há fogo *ha foogoo*
Is anyone hurt?_____	Alguém está ferido? *algaim eshtah fereedoo?*
No one's been injured __	Não há feridos *now ah fereedoosh*
Some people have been injured	Há alguns feridos *ah algoons fereedoosh*
There's still someone in the car/train	Ainda há uma pessoa no carro/comboio *ayeenda hah ooma pessoa noo cahroo/comboyoo*
It's not too bad. Don't __ worry	Não é nada. Não se preocupe *now eh narda. Now suh preeocoop*
Don't touch anything____	Não mexa em nada *now mesha aim narda*
I want to talk to the ____ police first	Queria falar primeiro com a polícia *kerria falar preemayroo com a pooleecia*
I want to take a_____ photo first	Primeiro quero tirar uma fotografia *preemayroo cairoo teerar ooma fotografeea*
Here's my name _____ and address	Tem aqui o meu nome e morada *taim akee oo mayoo nom ee moorarda*
Could I have your_____ name and address?	Podia dar-me o seu nome e morada? *poodia dar muh oo sayoo nom e moorarda?*
Could I see some_____ identification/your insurance papers?	Posso ver os seus documentos de identificação/o seu seguro? *possoo vair oosh sayoosh docoomentoosh di eedentifeecasow/oo sayoo segooroo?*
Will you act as a_____ witness?	Quer ser testemunha? *care sair teshtemoonya?*

I need to know the ___ details for the insurance	Tenho de saber os dados para o seguro *tenyoo duh sabbair oosh dardoosh parra oo segooroo*
Are you insured? _____	Tem um seguro? *taim oom segooroo?*
Third party or _____ comprehensive?	Contra terceiros ou contra todos os riscos? *contra tairsayroosh o contra toedoos oosh reeshcoosh?*
Could you sign here, ___ please?	Podia assinar aqui? *poodia asseenar akee?*

14.4 Theft

I've been robbed _____	Fui roubado *fwee roobardoo*
My...has been stolen ___	Roubaram-me o meu/a minha... *roobaram muh oo mayoo/a meenya...*
My car's been _____ broken into	Assaltaram-me o carro *assalltaram muh oo cahroo*

14.5 Missing person

I've lost my child/_____ grandmother	Perdi o meu filho (a minha filha)/a minha avó *pairdee oo mayoo feelyoo (a meenya feelya)/a meenya avoh*
Could you help me ___ find him/her?	Podia ajudar-me a procurar? *poodia ajoodar muh a procoorar?*
Have you seen a _____ small child?	Viu uma criança pequena? *veeoo ooma creeansa peekayna?*
He's/she's...years old __	Ele/ela tem...anos *el/alla taim...arnoosh*

He's/she's got_____
short/long/blond/red/
brown/black/grey/
straight/curly/frizzy hair

Ele/ela tem cabelo curto/comprido/louro/
ruivo/castanho/preto/grisalho/liso/
encaracolado/frizado
*el/ella taim cabayloo
coortoo/rooeevoo/cashtanyoo/
praytoo/greesalyoo/leezoo/
aincarracoolardoo/freezardoo*

in a ponytail_____
tem rabo de cavalo
taim rarboo duh cavarloo

in plaits_____
tem tranças
taim transash

in a bun _____
tem um carrapito
taim oom carrapeetoo

He's/she's got_____
blue/brown/green eyes
Os olhos são azuis/castanhos/verdes
*ooz olyoosh sow
azweesh/castanyoosh/vairdsh*

He's wearing swimming
trunks/mountaineering
boots
Tem uns calções de banho vestidos/uns
sapatos de alpinismo calçados
*taim unsh calsoynsh de bahnyoo
veshteedoosh/unsh sapartoosh di
alpeeneejmoo calsardoosh*

with/without glasses/ __
a bag
com/sem óculos/saco
com/saim occooloosh/sarcoo

tall/short_____
grande/pequeno
grand/peekaynoo

This is a photo of_____
him/her
Esta fotografia é dele/dela
eshta fotoografeea eh del/della

He/she must be lost ___
Com certeza ele/ela se perdeu
com sairtayza el/ella suh pairdayoo

14.6 The police

An arrest

I don't speak _____ Portuguese	Não falo português *now faloo poortoogayj*
I didn't see that sign ___	Não vi aquele sinal *now vee akel seenal*
I don't understand _____ what it says	Não compreendo o que significa *now comprayendoo oo kuh seegneefeeca*
I was only doing... _____ kilometres an hour	Só vinha a...km por hora *soh veenya a...km poor ora*
I'll have my car checked	Vou levar o meu carro à oficina *voe levvar oo mayoo cahro ah offeeseena*
I was blinded by_____ oncoming lights	Fiquei encadeado pelos faróis em sentido contrário *feekay encaddeardoo peloosh faroysh aim senteedoo contraryoo*

Os seus documentos, se faz favor	Your registration papers, please
Excedeu a velocidade máxima	You were speeding
Está mal estacionado	You're not allowed to park here
Não pôs dinheiro no parquímetro	You haven't put money in the meter
As luzes não funcionam	Your lights aren't working
É uma multa de...euros	That's a...euros fine
Quer pagar agora?	Do you want to pay on the spot?
Tem de pagar agora	You'll have to pay on the spot